시인의 사랑

\<목차\>

시인의 사랑

시인의 사랑

시인의 존재에 대한
완전한 분석론

{첫 번째 삽입장 1}

이 부분은 '일반적 존재' 혹은 '일반적 세계', 즉 우주론적으로 비유하자면 빅뱅 38만년 이후의 세계의 기원에 대한, 일종의 자연학적인 "신화(Myth)"의 장이 될 것이다.

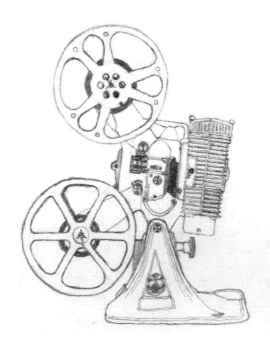

(첫 번째 삽입장 2)

　이는 불완전하게 끝이나버린 영화에 대한 나의 기억에 대한 이야기가 될 것이다. 이 영화가 왜 이렇게 불완전하게 끝이나버린 것인지 나는 알 수 없다. 그리고 내가 이 영화를 제대로 이해하고 있는 것인지도 나는 알 수 없다. 지금의 나는 지금의 내가 할 수 있는 것을 할 뿐이다.

1) 어떤 꿈에 대하여.

　어린 시절, 그러니까 유치원에서 초등학교 2학년 때쯤까지, 저희 가족은 바닷가의 한 아파트 단지에 살았습니다. 집을 나서서 횡단보도를 한두 개만 지나면 바로 부두로 나갈 수 있었는데, 거기에 낚시꾼들이 있었던 기억은 없고, 그 아래쪽으로는 고기잡이배 너댓 척 정도가 항상 늘어서 있었죠. 언젠가 한번은 저녁놀이 질 무렵에 부두 아래에 있는 낮은 돌 위에 쭈그리고 앉아 혼자 바닷물을 튀기며 놀고 있었는데, 갑자기 배가 들어오는 통에 넘실대던 바닷물에 그만 현기증이나 꼼짝도 못할 만큼 몸이 굳어버려 하마터면 그대로 물속으로 빠져버릴 뻔했던 기억이 떠오르는군요. 식은땀이 쏙 나올 정도로 아찔했더랬죠. (네, 저는 아직까지도 물을 무서워한답니다.)

　유치원, 학교 그리고 교회는 모두 언덕 위에 자리하고 있었습니다. 부모님이(특히 어머니가) 독실한 기독교 신자였던지라 저는 일요일만 되면 반드시 교회에 가야 했죠. 몰래 어딘가로 샜다가는 한소리 들을 각오는 해야했더랬죠. 하지만 저는 교회에 가는 것이 무척이나 싫었습니다. 그 강압적인 압력에 질려버린 것도 질려버린 것이었지만, 여기에는 부차적인 이유 또한 있었던 것입니다. 학교와 유치원보다 약간 높은 곳에 위치한 이 교회를 찾으려면 반드시 지나야만 하는 피할 수 없는 골목길이 하나 있었는데, 이 길의 중간쯤에 위치한 철문을 단 집의 개가 철제 문살이 달린 문 뒤에서 제가 지나갈 때마다 어김없이 사납게 짖어대며 달려들었던 것이었죠. 어린마음에 이, 금방이라도 문을 부수고 튀어나올 것만 같았던, 거대한 것으로 기억하는 검은 개가 무척이나 무서웠던 것입니다. 아무튼 대단한 기세였다고 기억하고 있습니다. 저는 이 당시에 아무래도 개를 기르는 사람들을 이해할 수가 없었습니다. 시끄럽게 짖어대는 데다가 물기까지 하는 생물을 집에서 기른다는 사실이 도저히 납득이 가지 않았던 것이었죠. 무척이나 강아지를 기르고 싶어 했던 동생과는 가끔씩 개를 기르네 마네로 싸우곤 했습니다. (네, 저는 아직도 개를 보면 몸이 뻣뻣하게 굳어버리는 것입니다.)

그럼 부차적인 것들은 이쯤하고 본론으로 들어가 볼까요. 저희 아파트 단지에는 제가 자주 놀러가던 두 집이 있었습니다. 그 하나는, 이제 얼굴마저도 완전히 기억이 나지 않는, 학교 친구의 집이었는데, 사실 이 친구 집에는 놀러 갔다기보다는 주로 하나에 50개에서 100개 정도의 오락이 들어있는 게임팩들을 빌리러 갔었죠. 집 안으로 들어갔던 기억이라곤 함께 게임기를 했던 한 순간만 생각이 나는 것입니다.

반면에 어떻게 친해진 것인지 전혀 기억나지 않는 형과 누나가 있었는데, 이 집에는 종종 놀러가곤 했습니다. 전혀 기억이 나지 않는 것으로 미루어 봐서는 아마도 부모님 사이의 친분에 의해서였던 듯한데 어쨌든 저는 아직까지도, 제가 놀러갈 때면 어김없이 형이 해주곤 했던, 그 계란 프라이의 맛을 잊을 수가 없습니다. 저는 아직도 그보다 맛있는 계란을 먹어본 적이 없습니다. 그리고 나서는 무엇을 하며 놀았는지는 사실 기억이 전혀 나질 않습니다. 하지만 그 집의 분위기가 무척이나 편안하고 안정감 있었다는 인상만은 아직까지도 생생하게 남아 있습니다. 뭐, 여러분이 상상하는 것처럼 그렇게까지 자주 놀러간 것은 아니었지만 저는 이들을 무척이나 좋아했고 그들도 저를 많이 예뻐해 주었습니다. 이것은 제가 가지고 있는 몇 안 되는 아주 소중한 기억들 중의 하나인 것입니다.

이 시절의 저를 한마디로 표현해야만 한다면, 저는 (유치하고도 식상하기 짝이 없는데다가 낯간지럽기까지 한 비유임을 인정하지만) 하얀 도화지라고 말하고 싶습니다. 지금 되돌아보자면 정말이지 백치에 가까우리만치 순진무구했으니까요. 물론, 어린시절을 돌아보면 대부분의 사람들이 다 비슷하게 생각하겠지만요. 다시 본론으로 돌아와 이야기하자면 이러한 저를, 그때 당시의 시간을 통틀어서 그 무엇보다도 놀래켰던 사건이 하나 있었는데, 그것은 하나의 꿈이었습니다. 이 도화지 위에, 저도 모르게, 전혀 의도하지 않은 엄청난 그림을, 그러니까 아마도 무의식적으로 그렸던 것이었죠. 그 이미지는 아래와 같습니다.

일단 저는 총을 들고 있습니다. 그것을 눈으로 확인한 것도, 손에 감촉을 느낀 것도 아니었지만, 어쨌든 분명히 저는 총을 들고 있음을 알 수 있습니다. 그리고 제 앞에는 어느새 앞서 말한 그 누나가 서 있습니다. 원피스 차림의 맨발이었던 것으로 기억합니다. 전신이 보이는 것도, 허리 윗부분만이 보이는 것도, 어깨 윗부분만이 보이는 것도 같습니다. 어쩌면 얼굴밖에 안 보였던 것도 같습니다. 원피스는 아무런 무늬도 없는 하얀 색이었던 것으로 기억합니다. 그리고 얼굴 역시도 전혀 명확하지 않은 것인데 어쨌든 분명히 저는 그녀가 그 누나임을 제 손에 쥐고 있는 총만큼이나 분명히 알 수 있습니다. 이제 저는 제 앞의 흐릿한 그녀에게 총구를 겨냥합니다. 그리곤 한순간의 망설임도 없이 분명하게 방아쇠를 당깁니다. 그러니까 그야말로 백지상태에서 말이죠. 흑백의 꿈이었지만 저는 이 이미지의 표면에 일순간 확 번지던 그것이 (1)붉은색을 띤 피라는 사실을 인식할 수 있었습니다. 아마도 저는 너무나도 놀라 잠에서 깼던 것 같습니다.

이 꿈이 어떻게 해석될 것인지는 너무나도 분명해 보입니다. 어쨌든 저는 제가 기억하는 한 최대한 정직하게 그 순간 저를 휘어잡았던 감정들을 이야기해 보겠습니다. 일단 말했다시피 놀라움이 다른 무엇보다도 압도적이었습니다. 저는 영화를 좋아했던 것도 아니었고, 만화에 빠져든 것 역시 조금은 더 시간이 지난 후의 일이었습니다. 이 당시에 제가 몰두하고 있었던 것이라곤 게임이 단연코 유일했는데, 그 게임팩들 중에는 물론 사격용 게임이 딱 하나 있기는 했지만 그것은 파란

하늘을 향해 쏘아진 두 개의 원반을 맞추는 것일 뿐이었습니다. 적어도 제가 기억하는 한에서는 이러한 느와르적인 이미지를 저는 경험해본 적이 없었던 것입니다. 물론 제가 기억하지 못하는 사이에 재빨리 의식의 저편에 자리 잡은 무언가가 있었을지도 모르지만 적어도 제가 기억하는 한에서는 그러하다는 말입니다(기억이 닿지 않는 곳까지 여기에서 이야기할 수는 없는 게 아니겠습니까?). 이 생경한 이미지는 어린 마음에는 너무나도 뜨거운 것이었습니다.

그리고는 미안함과 부끄러움, 죄의식 같은 것들이 뒤섞인 명확하지 않은, 일종의 수치심이 있었던 듯합니다. 좋아하는 누나를(이성으로서가 아니었습니다. 분명히 말할 수 있는 것은 여지껏 남아 있는 이 사람에 대한 인상의 어디에서도 저는 여성을 발견할 수가 없는 것입니다. 그것은 아마도 인간으로서 혹은 어머니의 대신으로서 그러니까 저를 소중히 여겨주는 존재로서의 그에 걸맞는 무엇이었을 것입니다), 아무리 꿈속에서라 할지라도, 한 치의 망설임도 없이 살해했다는 것이 제게는 놀랄 만큼 놀라웠던 것이었죠. 제가 기억하는 한에서는 이 정도가 언급할 수 있는 전부입니다. 그리고 그녀에 대한 저의 기억은 이것이 마지막이 되었죠. 어쨌든 분명하지는 않지만 제 쪽에서 누나를 피했다는 인상만은 아직도 남아있군요. 아마도 얼굴을 마주할 수가 없었겠죠. 마음을 데어버렸으니까요.

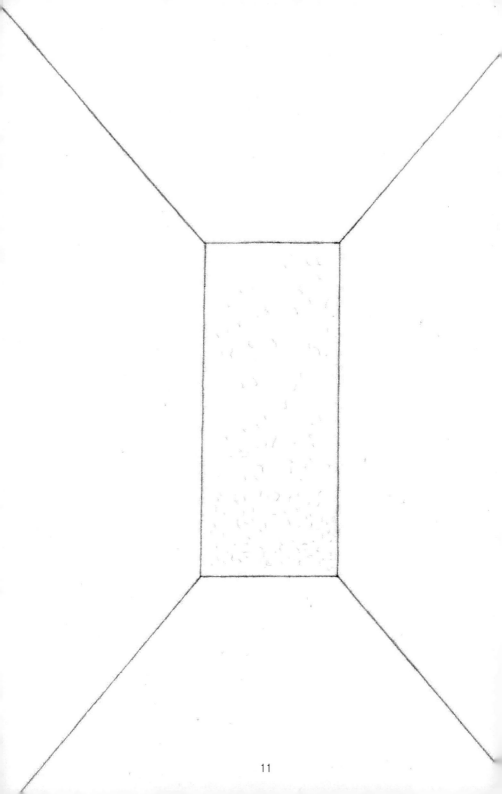

SCENE1) 어떤 죽음에 대하여.

1> 영화는 이러한 자막과 함께 시작된다. "태초에 어떤 죽음이 있었다. 그리고 그의 몸으로부터 물질들이, 그의 정신으로부터 원리들이 기원했다." 그리고 첫 번째 쇼트에서는 검은 공간 속에 가득 차 있는 이리저리 날리는 무수한 먼지들이 보인다.

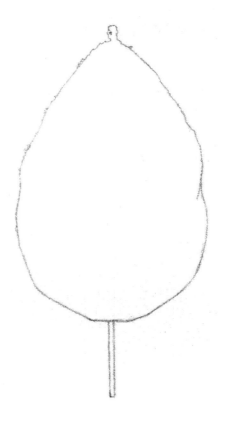

2) 영화에 대하여.

당신은 솜사탕을 어디에서부터 어떻게 먹기 시작합니까.

저는 이것이 전적으로 당신의 마음에 달려 있음을 알고 있습니다. 그러니까 당신이 솜사탕을 중간부터 베어먹건, 꼭대기부터 일일이 손가락으로 떼어먹건, 아니면 여기저기를 아무렇게나 우물우물 녹여먹던지 간에, 그것은 제가 상관할 바가 아닌 것입니다.

이런 다소 엉뚱해 보이는 질문을 하는 까닭은, 사소한 것들을 중요하게 생각하는 저의 성격 탓도 있는 것이지만, 그보다도 이 사소한 질문이 저에게는 영화에 있어서도 마찬가지라 생각되기 때문입니다. 그러니까 당신이 어디에서부터 어떻게 영화를 보기 시작하는가 하는 점은 전적으로 당신의 마음인 것이고, 그 다양한 경로들은, 마치 결국에는 모두가 솜사탕의 나무젓가락에 도달하는 것처럼, 끝이 있을 거라는 것입니다.

아니, 이는 제 마음에 드는 비유가 아닙니다. 여러분께 제가 글솜씨가 없음을 고백해야겠습니다. 저는 글에 재능이 없는 것입니다. 하지만 그럼에도 불구하고 지금 이 글을 쓰고 있는 까닭은, 저는 분명히 재능은 없지만, 반드시 써야만하는 이야기는 가지고 있는 까닭입니다. 결국 제 생각의 핵심은 각자가 영화를 좋아한다면 그 좋아하는 방식들은 모두 존중받을 필요가 있다는 것입니다. 왜냐하면 그 모든 방식은 진실성이 주어진다면 결국 각자의 실체로 이어질 것이라는 막연한 생각을 저는 가지고 있기 때문입니다. 즉, 깊이는 외부를 향하는 것이 아닌, 내부를 향하며, 방식은 전혀 중요한 문제가 아니라는 것입니다.

즉, 여기에서는 (자신에 대한) 진실함이 본질적인 문제인 것입니다.

하지만 한 가지 아쉬운 점은, 제가 영화를 보는 까닭은 영화 속에 존재하는 천사들을 만나기 위함인데, 그 만남의 빈도가 요즘 점점 줄 어드는 것은 아닐까 하는 점입니다. 어쩌자고 영화 속에서나마 그러한 존재들을 만나기가 점점 더 어려워지고 있는 것일까요...

어쨌든 다소 씁쓸해진 입맛을 달래기 위해 저는, 영화가 나무젓가락 을 중심으로 뭉쳐진 솜사탕과도 같다 여겼던 언젠가의 노트를 한 입 베어 무는 것입니다.

(서문)

웬만하면 영화에 대한 이야기는 하고 싶지 않았다. 아니, 사실은 아 무 이야기도 하고 싶지 않았다. 그래, 그랬다. 그리고 지금도 그렇다. 자족적인 인간을 꿈꾸지만 나는 그렇지 못하다는 것 또한 알고 있다. 나와 내가 원하는 모습 사이의 이 영원히 해소될 수 없는 긴장은 곧 잘 나에게 부끄러움을 느끼게 한다. 이 (1)실재와 환상 사이에서 점멸 하는 내 모습은 어디에서 기인한 것일까.

기원에 대한 탐색은 고통스러운 작업이다. 하물며 그것이 자신을 통 과해서 일반성으로 나아간다면야 더 이상 말해 무엇하겠는가. 어디엔 가 묻혀있을 기원적인 흔적들을 발굴해내고, 그것을 현재의 자신과 연 결시키는 작업. 그리고 이때의 자신을 더욱 확대시켜서 현재의 자신에 일반성을 부여하는 작업. 그렇게 연관성의 실들을 엮어가는 일. 그리 고 마침내 그 모든 연관성을 포괄하는 궁극적인 수식을, 존재의 본질을 기원으로부터 발견하고자 하는 일. 하지만 인간은 기계가 아니기에 그러한 수식은 과학으로는 도달할 수 없음을 이해하는 일.

그렇다면 이제 맹랑한 소리나 한번 해봐야겠다. 사실 나는, 아니 이쯤에선 우리는, 그냥 알 수 있는 것이다. 거듭되는 생각 이후의 몰려오는 잠 이후의 그 어떤 (2)찰나의 번뜩임. 그것이 진짜다. 그렇게 수식은 순간적으로만 존재한다. 어쩌면 우리는 그 빠르게 사라져 가는 꿈의 꼬리를 잡기 위해서 그리고 기억하기 위해서 (3)영화를 만들고, (3)글을 쓰고, (3)그림을 그리는지도 모르겠다.

서론이 길었다.

사실 이 글은 위의 세 단락과는 상관없는(하지만 당신이 보기에 따라서는 밀접하게 관련되어 있을 수도 있을) <생활의 발견>에 대한, 정확히 말하자면 이 영화의 엔딩과 그곳에 함께한 하나의 음악에 대한 나의 감동을 표현하는 글이 될 것이다.

SCENE2) 결합에 대하여.

(서문)에 대한 극히 부분적인 변주.

웬만하면 불안에 대한 이야기는 하고 싶지 않았다. 아니, 사실은 아무 이야기도 하고 싶지 않았다. 그래, 그랬다. 그리고 지금도 그렇다. 자족적인 인간을 꿈꾸지만 나는 그렇지 못하다는 것 또한 알고 있다. 나와 내가 원하는 모습 사이의 이 영원히 해소될 수 없는 긴장은 곧잘 나에게 부끄러움을 느끼게 한다. 이 떨림과 환상 사이에서 점멸하는 내 모습은 어디에서 기인한 것일까.

......

사실 이 글은 위의 단락과는 상관없는(하지만 당신이 보기에 따라서는 밀접하게 관련되어있을 수도 있을) <결합>에 대한, 정확히 말하자면 이 부분적인 변주에 대한 내 나름의 조금은 더 전체적인 설명이 될 것이다.

1> 무수한 먼지들이 어둠 속에서 떨고 있었다. 그 떨림은 내 생각에는, (오프닝의 자막을 그대로 믿는다면), 아마도 기원적인 거대한 몸의

붕괴로 인한 먼지들의 탄생에 의해서 먼지들이 공통적으로 나눠가진 무한히 잘게 쪼개진 기억의 조각들로 인한 것이었던 것으로 보인다. 즉, 먼지들이 우주의 시작과 끝과도 같은 간극을 지닌 아스라한 일종의 기억 가운데에서 자신의 현재의 모습을 자각함으로써, 즉 무한해 보이는 크기와 먼지와도 같은 크기 사이에 존재하는 그 극단적인 차이에서 기인하는, 그 극과 극의 존재의 간극에서 기인하는, 어떠한 감정에 압도됨으로 인해서 떨리고 있었다는 말입니다.

2> 그리고 해당 감정의 일반적인 지배하에서 먼지들은 자연스럽게 결합하게 되었습니다. 물론 먼지들을 지배하고 있던 그 감정의 크기에 미세하게 차이가 있었던 것으로 보입니다. 즉, 먼지들의 크기가 다 정확히 동일했던 것이 아니었다는 말이죠. 어떤 먼지들은 미세한 차이지만 더 크게 해당 감정을 느꼈고, 어떤 먼지들은 약간 더 적게 해당 감정을 느꼈죠. 그리고 이러한 차이에 의해서 먼지들이 다르게 뭉쳐질 수 있었던 것이었죠.

3> 그렇게 한 번의 죽음을 경험한 우주는 우리에게 익숙한 형상들로 채워지고 있었던 것입니다.

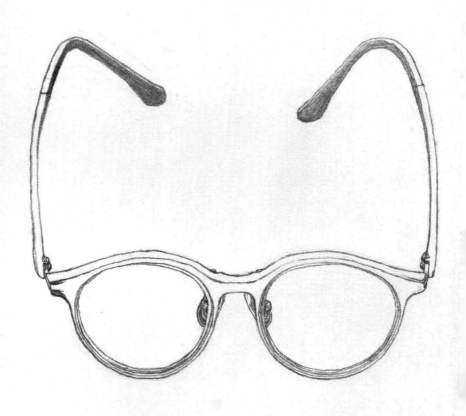

3) 배우에 대하여.

앞 장에서 '영화에 대하여.' 라고 거창하게 제목을 붙이기는 했지만, 사실 구체적인 영화에 대한 이야기는 안경을 쓰고 찾아보더라도 고작 머리카락 한둘이 보일 뿐이었습니다. 그렇다면 기왕지사 이렇게 안경까지 쓴 김에, 뱀의 꼬리라도 잡아보자는 심정으로 배우에 대한 이야기를 해보겠습니다.

저에게 처음으로 배우가 되고 싶다는 마음이 들었던 것은 이십대 초반이었습니다. 그때까지의 저의 삶은 생각과는 담을 쌓은 채 사회에서 주어진 역할에 따라서 살아온 삶이었습니다. 물론 저는 공부를 혐오했지만, 사실 학교를 자퇴할 용기는 없어서 그저 다닐 뿐이었고, 그러다가 성적이 안 되어서 대학을 떨어지고 난 뒤, 일반적인 흐름을 따라서 재수를 했고 대학을 들어갔죠. 사회가 보여주는 길을 따라서, 그 길 밖에 보이지 않아서, 그 길을 따라서 살아온 셈이었습니다.

그렇게 대학에 들어가서 뒤늦은 방황을 하던 때에 제 마음에 배우가 되고 싶다는 생각이 들었던 것입니다. 하지만 저에게는 길이 보이질 않았고, 어떻게 해야할지도 전혀 알 수 없었습니다. 저는 제 이야기를 하는데 익숙한, 아니 어쩌면 이야기를 하는데 익숙한 사람이 아니었기에 그렇게 고민만 하면서 답답함은 점점 커져만 갔습니다.

하지만 그 답답함이 점점 커져서 더 이상 마음속에 담아두지만은 못할 정도가 되었고, 그렇게 제 입이 열리기 시작했습니다. 저는 우선 제가 대학에서 만났던 친구들 중에서 가장 현실감각이 있는 것으로 보였던 친구에게 처음으로 이 고민을 말했습니다. 그 아이는 제게 "넌 정말 현실감각이 부족해. 그것에 대해서는 생각하지 않아. 나 같으면 교수님한테도 상의해 볼테고 이렇게 저렇게 알아보고 심사숙고한 다음에 결정할 거야."라는 말을 해주었고, 저는 그 충고에 따라서 담당 교수님께 상담을 받았습니다. 교수님께서는 "지금 그 일을 시작해서 성공한다는 보장도 없잖니, 그건 너무도 변수가 많은 일이란다. 하지만 대학시절부터 네 전공만 열심히 공부해 나간다면 네게 재능이 없다하더라도 작은 성취 정도는 이룰 수가 있는 법이란다."라는 말을 들을 수가 있었습니다.

그리고 저는 문과대학 학생이었는데, 어쩌다보니 예술대학 건물이 아닌, 저희 건물에 연극영화과가 있었고, 저는 거기에까지 찾아가서 조언을 구했습니다. 그 정도로 저에게는 길이 보이지 않는 상황에서 답답함이 컸습니다. 연영과에서는 특별한 이야기를 듣지는 못했던 것으로 기억합니다.

어쨌든 저는 일반적인 인생의 길에는 끌리지 않았던 것 같습니다. 즉, 저는 무언가 반드시 표현해야만 하는 것을 제 마음속에 가지고 있다는 것을 직감적으로 알았던 것 같습니다. 그리고 그 내용에 걸맞는 형식이 무엇인지를 찾고 있었던 것 같습니다. 이제와서 돌이켜보자면 확실히 그랬던 것 같습니다.

(현재 저는 처음에 썼던 배우에 대한 글을 수정하면서 이 글을 다시 써나가고 있는 것인데, 이전에 썼던 글에는 이어서 세상에 대한 제 나름의 통찰이 들어있는데요. 너무 날 것 그대로의 글이어서 이어서 붙이기에는 제 마음에 내키지가 않습니다. 그래서 요점만 말하자면, 저는 일반적인 사람들이 어떤 공통된 역할을 연기하는 것 같은 느낌을 받았다는 것입니다. 즉, 그들도 제 눈에는 배우와 다를 바가 없어 보였다는 내용입니다. 물론 제가 전혀 현실적이지 못한 사람인 것은 맞지만요...)

그렇게 저는 저의 이전 글에 이 정도로 눈을 감아버리기로 했습니다.

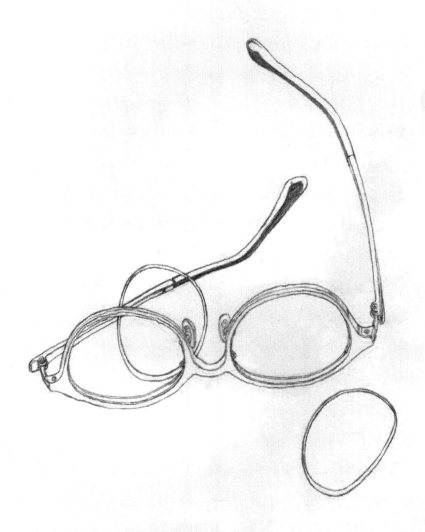

SCENE3) 눈에 대하여.

1> 존재의 불안(이것은 모든 존재들의 바탕에 적혀있는 내용인 것입니다)이 모든 결합의 근간이 되는 인력을 형성하기는 했지만(주류적인 결합을 화학적으로 비유하자면, 불안정한 감정인 불안을 공유하면서 안정화되는 방향으로 일어난 것일 것이다), 모든 결합이 이러한 논리로 일어났던 것은 아니었습니다. 즉, 주류적인 결합의 결과 우주가 일반적인 형상들로 채워지고 있던 그때에, 무수한 먼지들 가운데에는 자신들의 주위에서 일어나고 있는 이 새롭고도 활기찬 움직임을 예민하게 감지해냈던 몇몇 아이들이 존재했고, 이렇듯 예민한 촉수와도 같은, 예외적인 감각을, 자신의 내부에, 자신도 모르게 간직하고 있던 이들은 시간이 흐를수록 점점 몸이 달아했고 결국에 가서는 그 열망이 자신의 기원에 대한 찰나의 기억을 넘어서는 지점에까지 이르게 되었던 것입니다. 그렇게 이 달아오를 대로 달아오른 열망은 새로운 인력으로서 작용하게 되었고 주류적인 결합과는 다른 예외적인 형태를 만들어내기에 이르렀습니다(이러한 눈의 예외적인 결합은 역시 화학적으로 비유하자면 호기심이라는 감정의 에너지가 더 커지는 방향으로 일어난 것으로, 즉 주류적 결합과는 그 결을 달리하는 예외적인 것으로(불안은 함께 할수록 낮아지는 반면, 호기심은 함께할수록 커지는 법입니다. 저는 불안을 기원적 존재의 흔적과 현재의 존재 사이의 그 극단적인 간극에서 기인하는 것으로, 호기심을 예외적인 것으로 정의하고 있는 것이니까요.) 그래서 그 운명 역시 어느 정도는 정해진 것으로 이해할 수도 있을 것입니다).

2> 그렇게 태어난 최초의 눈동자는 증폭된 호기심이라는 감정의 특이성 탓으로 쌍둥이로 태어났죠. 서로 다른 쌍둥이도 얼마든지 존재하는 것이죠, 뭐, 그것은 여러분이 거울로 확인해보면 될 일 아니겠나요?

여러분은 그렇게 태어난 눈동자가 즐겁게 굴러다니며 멋진 여행이라도 했을 것으로 상상하며 부러워하고 계신가요? 그렇다면 저는 이 이야기를 하지 않을 수 없습니다. 당시의 우주에는 최초의 눈동자를 극도로 괴롭혔던 문제가 한 가지 있었던 것인데, 그것은 바로 먼지들의 존재로 인한 것이었습니다. 물론, 많은 먼지들이 형태들로 탈바꿈했고 그 일반적인 안정화의 흐름은 거대한 것이었지만, 아무리 그렇다 할지라도 여전히 우주에는 먼지들이 셀 수 없을 만큼 존재했던 것이고 바로 이 사실 때문에 이리저리 굴러다니던 눈동자는 그 무한한 먼지들에게 이곳저곳 가릴 것도 없이, 그야말로 마구잡이로, 찔려댔던 것입니다. 여러분도 자신의 눈에 먼지가 한톨이라도 들어갔을 때를 떠올려 보면 당시의 눈동자들의 상황을 짐작하실 수 있을 것입니다.

3> 눈동자는 자신을 정의하는 감정인 그 증폭된 호기심으로부터 털끝만큼도 벗어날 수 없었던만큼, 우주 전역을 활개치면서 굴러다닐 수밖에 없었고, 결과적으로 그로 인한 그 극심한 고통을 견뎌내야만 했습니다. 이렇듯 처음으로 아픔을 느낀 형태가 된 눈동자는, 자신을 아프게 찌르고 들어와 잔뜩 쌓여가는 그 무수한 먼지들을 끄집어내기 위해서 쉴 새 없이 눈물을 흘리게 되었죠. 이때부터 눈물은, 슬픔이 아닌, 아픔과 연결되었던 것입니다. 그리고 그렇게 어느덧 눈동자는 호기심이 아닌 고통에 의해서 새롭게 정의되게 된 상황이 된 것입니다.

4> 어느새 자신이 태어난 목적도 잊어버릴 정도의 무한한 고통에 압도되어버린 채 끊임없이 눈물만 흘리던 눈동자는 말 그대로 '눈물범벅'이 되어버리고 말았습니다. 무엇보다도 앞서 먼지들을 눈물로 흘려보냈다고 말했지만 사실 먼지들이 말처럼 그렇게 쉽게 흘러서 떨어져 나갔던 것은 아니었습니다. 그러니까 눈물과 섞인 먼지들의 그 질척질

척한 '눈물범벅'은 그 점성 때문에 좀처럼 눈동자의 표면에서 떨어져 나가지 않았던 것이었죠. 물론, 점성이 있었다고는 해도 무슨 접착제도 아니고 당연히 어느 정도 이상 쌓이게 되면 한 뭉텅이씩 떨어져 나갔지만, 어쨌든 먼지들은 셀 수 없이 존재했고, 눈물범벅은 끊임없이 솟아나왔던 것입니다. 그렇게 쌓이고 떨어져나가기를 오랫동안 반복하면서, 눈동자의 표면에는 눈물범벅이 변화한 새로운 조직이 생겨나게 되었습니다. 비로소 눈동자에게 눈꺼풀이 생기게 되었던 것이죠. 물론 그렇게까지 두터운 조직도 아니었던 까닭에 눈을 뜨자면 못 뜰 것도 없었지만, 끝없는 아픔에 의해서 새롭게 정의된 눈들은 이제 눈을 뜰 생각을 아예 하지 않게 된 것입니다.

저에게는 아직 덧붙여야만 할 이야기가 남아있습니다. 즉, 그것은 이러한 새로운 정의 가운데에서도 눈을 완전히 감아버리지 않은, 즉 눈꺼풀을 뜨고 있었던, "이중으로" 예외적인 눈이 보게 된 특정한 형태에 대한 이야기입니다.

<어떤 형태에 대한 이야기.>

(여러분은 어떻게 그 끝없는 고통 속에서도 눈을 완전히 감아버리지 않은, "이중으로" 예외적인 눈이 존재했는지 궁금한 것인가요? 저도 해당 부분에 대해서는 궁금한 것이지만 이 지점에서는 제가 해드

릴 수 있는 이야기가 없는 것입니다. 한 사람이 모든 것을 다 설명할 수는 없는 것이라고는 생각하지 않으시나요? 이해해 주시기 바랍니다. 언젠가는 이야기가 될 수 있는 순간이 올지 지금의 저로서는 전혀 알 수 없는 것입니다.)

오직 단 한 쌍의 눈이 보았다고 화면에 비쳐진 이 형태가 무엇인지는 저로서도 정확히 알 길은 없습니다. 앞서 이야기된 대로 한 사람이 모든 것을 설명할 수는 없는 것이니까요. 어쨌든 저로서는 최선을 다하고 있는 것입니다. 저쨌든 그 특별한 눈동자가 보았던 그 외적인 특징들에 대한 묘사만은 해보도록 하겠습니다.

(첫 번째 고개) 이 형상은 전체적으로 정사각형에 가까웠습니다. (두 번째 고개) 이것의 중앙은 마치 검은 별의 그것만큼이나 어두웠는데, 아무리 집중해서 들여다보아도 도무지 무엇 하나도 보이지가 않았습니다. 기분 나쁘리만치 아무것도 보이지 않았습니다. 그리고 이 어둠을 중심으로 반달 모양의, 붉은빛이 도는 네 개의 막대가, 각각 한 변씩을 구성하고 있는 모양이었습니다. (세 번째 고개) 이 형태의 중심의 어둠은 주위의 많은 것들을 자신 안으로 삼키고 있었습니다. (네 번째 고개) 그리고 이 네 개의 막대기 주변으로 원반과도 같은 디스크가 돌아가고 있었습니다. (다섯 번째 고개) 알쏭달쏭 하기만 한 대상이었지만, 그 와중에서도 저에게 한 가지 명확하게 전해지는 것이 있었습니다. 그것은 바로 이 어둠을 응시하고 있자면 거기에서 어떤 슬픔과도 같은 것이 느껴졌다는 사실입니다. 완전히 저에게서 벗어나 있다는 느낌이 드는 한편으로, 친구와도 같이 편안하게도 느껴졌다는 사실입니다. 어쨌든 정말 알쏭달쏭한 형상인 것만은 틀림없다고 하겠

습니다.

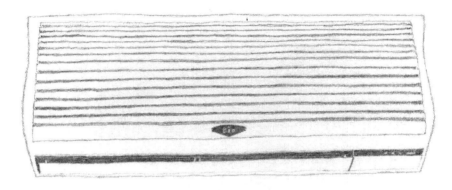

4) 다시 배우에 대하여.

배우에 대한 이야기를 조금 더 이어가 보도록 하겠습니다. 본격적으로 이야기를 시작하기 위해 여기에서 저는 일단 <카페 뤼미에르>라는 영화를 끌어들이려 합니다. 그럼 그렇게 시작해보도록 하겠습니다.

이 영화는 대만의 허우 샤오시엔 감독이 일본의 오즈 야스지로 감독의 탄생 100주년을 기념하여 만든 작품입니다. 사실 저는 '비정성시'나 '남국재건'과 같은 그의 이전 영화들을 전혀 이해할 수가 없었습니다. '아비정전'을 본 적은 없지만, 이 영화를 '비정성시'와 단순히 몇 글자가 같다는 점 때문에 헷갈려했을 정도였죠. 그만큼 이 두 영화는 저에게는 그 어떤 점에서도 와닿지 못하는 것이었습니다. 이것은 아마도 제가 역사에 문외한이기 때문일 것으로 저는 이해하고 있습니다. 어쨌든 아직은 저는 역사를 만날 시기가 아닌 것입니다. 각자는 각자의 호흡을 지켜가야 한다고 저는 생각하는 것입니다. 이러한 원칙을 저는 역사보다 위에 두는 것입니다.

하지만 그의 이전 영화들과는 달리 오직 이 한편의 영화만큼은 저에게 그야말로 완전한 영화였습니다. 이 영화는 이제껏 제가 만나온 영화들 가운데 가장 아름다운 판타지였습니다. 언뜻 보기에 이 영화는 두드러지는 사건도, 관계도, 감정도 없이 단순히 일상을 무덤덤하게 찍어냈을 뿐인 것처럼 보입니다. 여기에서 무엇보다도 중요한 것은 바로 '그렇게 보인다'는 점입니다. 사실 이 영화에는 두드러지는 사건(여주인공의 뜻하지 않은 임신)도, 관계(부모와 여주인공, 여주인공과 남주인공)도, 감정(임신사실을 갑작스럽게 통보받는 부모, 그녀를 짝사랑하는 남주인공)도 모두 존재합니다. 그리고 이러한 요소들은 일반적인 영화들에서라면 눈에 띄지 않을래야 않을 수가 없는 것들이지요. 이를 위시한, 영화 내의 모든 것들이 그토록이나 눈에 띄지 않는 까닭은 바로 여기에 상대에 대한 배려가 존재하기 때문입니다.

　한 부분을 예로 들어보겠습니다. 일반적인 영화에서, 외국에 나갔다 온 딸이, 그 나라, 남자의 아이를 임신한 채 돌아와서는, 그것도 상대방 남자는 이 사실을 알지도 못하고, 부모 역시 그 상대가 누구인지 전혀 알지 못하는 상황에서, 그 사실을 이야기했다고 한다면, 우리는 그 장면이 어떻게 그려질지 사실 어렵지 않게 짐작할 수 있을 것이라고 저는 생각합니다. 하지만 이 영화에서의 이야기 후의 상황은 제 기억에 의하면 이러합니다. 우선 아버지는 식사가 차려지길 기다리며 어머니가 내어준 술을 시간을 두고 조용히 마실 뿐이고, 앉은뱅이 식탁을 사이에 두고 건너편에 앉아 있는 여주인공은 돌아가는 선풍기 바람을 쐬며 편안하게 쉬고 있죠. 그리고 화면 밖에서 들려오는 어머니의 식사 준비 소리 역시도 이야기의 전과 다르지 않게 흐트러짐 없이 들려올 뿐입니다. 그렇게 이 조용하고도 일상적인 오후의 다다미방은 반쯤 늘어진 한여름의 햇볕과 정원의 곤충 울음소리가 일상 속에 섞여든 채 조용히 지나가고 있죠. 거기에는 어떠한 격앙된 감정도, 그로 인한 불안도, 위화감도 일절 존재하지 않습니다. 단지 그렇게 한여름의 일상적인 식전의 오후 시간이 조용히 흘러가고 있을 뿐이죠. 하지만 우리는 아버지의 표정에서 딸에 대한 걱정을 읽어낼 수 있는 것입니다. 그렇기에 시간이 자신의 몸통을 드러낼 정도로 <투명한> 이 롱테이크는, 딸아이를 존중하고 배려하는 마음에 쉽게 말을 꺼내지 못하는 사려 깊은 아버지의 모습을, 그리고 화면 밖에서 들려오는 움찔거림 없는 일상적인 음식준비 소리를 통해 어머니 역시도 그와 다름없는 마음임을 보여주게 되는 것입니다.

　이러한 배려와 존중은 부모와 자식, 남주인공과 여주인공의 사이를 넘어서 영화의 전반에 걸쳐서(심지어는 빗방울 소리에 있어서까지도) 깔려 있는 것이고, 그렇기 때문에 언뜻 보기에 이 영화는 별다른 감흥도 주지 못하는, 심지어 하고자 하는 말조차도 증발해버린 것처럼 보여지는 것이죠. 하지만 이 영화는 그렇게 조용히 예의에 대해 이야기하고 있는 것입니다. 그리고 이것이 바로 제가 역사보다 더욱 중요하다고 생각하는 그 한 가지인 것입니다. 페이지가 부족하니 제가 이보다 더욱 중요하게 생각하는, 살짝 언급되기도 한, 그 나머지 한 가지는 나중에 기회가 된다면 그때 가서 좀 더 이야기해보도록 하겠습니다. 어쨌든 이번 장은 배우에 대한 이야기인 것이니까요.

이 영화의 여주인공인 히토토 요는 배우이기 이전에 가수인 것으로 알고 있지만, 그녀의 연기는 저에게 무척이나 감명 깊었습니다. 그녀는 영화 속에서 자신의 호흡을 한 번도 잃어버리지 않는 것인데, 저에게는 이 사실이 놀라웠던 것입니다. 스크린 속에서 그녀는 자신의 걸음걸이로 걷고, 자신의 리듬으로 숨을 쉬고, 말합니다. 또한 그녀는 자신이 좋아하는 익숙한 카페를 가지고 있고, 거기에서 자신만의 시간을 보낼 줄도 알고 있죠. 게다가 놀랍게도, 그녀는 낯선 장소의 낯선 사람들과 낯선 시선들 속에서조차 자신의 호흡을 잃어버리지 않았던 것입니다. 저는 자신의 호흡을 지킨다는 것이 타인의 배려가 없이는 불가능한 것임을 잘 알고 있습니다. 이 세상의 가장 끔찍하고도 두려운 점은 바로, 누구든, 그 누구의, 그 어떤 동의 없이도, 얼마든지 타인의 삶에 개입할 수 있다는 사실인 것이니까요. 그렇기에 그녀의 연기는 그 호흡만으로도 상대에 대한 배려가 살아 숨 쉬는 이상적인 판타지로서의 세상을 보여주었던 것입니다. 그녀는 제가 기억하고 있는 몇 안 되는 전사들 중 한 명인 셋입니다.

이번 장의 이 부분에 대한 이야기도 이쯤에서 정리를 하고자 합니다. 여러분에게 어떻게 보일지 알 수 없지만 해당 부분에 제가 이전에 써놓은 일곱 페이지나 되는 내용을 읽으면서 사실 여기저기에서 숨이 턱턱 막혀서 잘 읽히지가 않았던 것입니다. 그렇게 이렇게 짧게 정리하기로 마음을 먹으니 한숨이 돌려지는군요. 잘한 결정이다 싶습니다.
휴-

코, 코, 코, 코, 코…… 입!

SCENE4) 코에 대하여.

...

　영화는 이 네 번째 씬에 와서 아무런 암시도 없이 끝이나 버리고
말았다. 처음에 나는 이것이 시간적으로 조금 긴 인터미션인 줄 알았
습니다. 그리고 아무래도 이건 너무하다는 생각이 들 때쯤엔 어떤 기
계적인 문제일 것이라고 생각하기도 했습니다. 하지만 아무리 기다려
도 다음 장면은 이어지지 않았고 결국 이렇게 네 번째 씬의 시작과
함께 영화는 납득할 수 없게 끝이나버렸던 것입니다.

...

(그동안 이전에 영화를 보며 끄적여왔던 것에서 나름의 의미를 찾으
며 글을 써 왔지만, 영화는 이 자리에서 다시 생각해보아도 전혀 이해
할 수 없이 끝이나버린 것이다. 설명되지 못한 것들이 너무도 많이 남

아있는 것이다. 해당 영화는 무언가를 드러내 보이려는 듯했고, 그 시도는 나름대로의 전체적인 조망을 가지고 있는 낌새를 보였지만, 결과적으로는 자신의 꼬리만을 남긴 채 내빼버린 것이다.)

(두 번째 삽입장)

　이것은 어린 시절 제가 가지고 있었던 하나의 의문에 관계된 이야기입니다. 그 시절 저에게는 도무지 풀리지 않는 수수께끼가 하나 있었는데, 그것은 바로 음식점의 유리벽에 큼지막한 글씨들로 오려붙여져 있는 차림표였습니다. 가족들과의 나드리길의 차 안에서 유달리도 눈에 잘 띄곤 했던 그,

　　된김삼갈
　　장치겹매
　　찌전살기
　　개골　살

과 같은 메뉴표를 저는 도무지 읽어낼 수가 없었던 것입니다. 이것들을 읽으려 할 때면 저는, 흥미를 끌기위해 과장을 하는 것이 아닌, 진실로 그 어느 때보다도 혼란스러워지곤 했습니다. 저에게는 무엇보다도 '된김삼갈(?)'이라든가 '장치겹매(?)' 또는 '찌전살기(?)' 그리고 '개골 살(?)'이 그 궁금증으로 인해 우선적으로 눈에 들어왔던 것이었죠. 저는 질문을 잘 하는 아이가 아니었고, 무언가에 대해 끈질기게 대답을 구하는 아이도 아니었습니다. 그렇게 이러한 저의 의문은 언제나 망각 속으로 던져지기 일수였죠. 하지만 이러한 의문과 망각 사이에 놀라움이 끼어드는 순간들이 간혹 존재했습니다. 즉, 갸웃거리고 있는 저의 귀에, 우넌하세노, 이를 사볍게 읽어 버리는 목소리가 들려올 때가, 또는 저의 눈에, 이를 보고도 전혀 혼란스러워하지 않는 표정이 들어올 때가 있었던 것입니다. 그 목소리와 표정의 주인공들은, 물론 대부분이 모르는 사람들이었는데, 신기한 것은 저에게 있어서 이들은 모두 '어른'이었다는 공통점이 있었던 것입니다. 그렇게 저에게는 이것을 읽어낼 수 있다면 어른이라는 공식이 자연스럽게 정립되었

던 것입니다. 하지만 저라는 인간의 특성이 어디로 가겠습니까. 물론 이 공식도 메뉴표와 함께 망각 속으로 사라지기 일수였죠. 그리고 시간이 흐르고 흘러 어느 식당의 그 차림표를 아무렇지도 않게 읽어내고 있는 자신을 발견했을 때 비로소 저는 불현듯 이 수수께끼의 비밀을 깨닫게 되었던 것입니다. <말이 되는 대로 읽는다.> 다소 허무하기까지 한 대답이었습니다.

사실 거기에는 반드시 이렇게 읽어야만 한다는 법칙은 없었던 것입니다. 꼭 세로로만 읽어야 했던 것도 아니었고, 그렇다고 가로로 혹은 사선으로 읽지 말라는 법도 없었던 것이죠. 그렇게 '된장찌개'는 얼마든지 '된김삼갈'이 '장치겹매'가 '찌전살기' 혹은 '개골 살'이 그리고 또 다른 무엇도 얼마든지 될 수 있었던 것입니다. 그것을 단지 저는 어렵지 않게 '된장찌개'라고만, "말이 되도록" 읽어내게 되었을 뿐이었던 것이죠.

그렇게 우리는 태어나서부터, 존재하는 세상을 말이 되는 방식으로 읽어내는 것을 배워나가게 되는 것입니다. 즉, 세상은 얼마든지 말이 안 될 수 있지만 우리는 의문을 던져내며, 말이 되도록 그것을 읽어내는 방식으로 어른이 되어가는 것입니다.

저는 아이가 이 모든 것이 도대체 무엇인가라는 혼란스러움 가운데 있음을 알고 있습니다. 그렇게 많은 의문들을 안고 있다는 것을 알고 있습니다. 제가 어떻게 이를 모를 수가 있겠습니까. 저 역시 한때는 아이처럼 해결될 길 없는 내적 의문들로 괴로워했던 적이 있는 것입니다.

여러분은 제가 누군지 저의 정체가 궁금한 것인가요? 왜 갑자기 앞선 화자와는 다른 사람으로 보이는 이가 여기에서 말을 하고 있는 것인지가 궁금한 것인가요? 저는 그 시간을 지나온 이로서, 혹은 무언가를 집어내던져 버렸을 수도 있는 이로서, 혹은 조금쯤은 약아진 이로서, 이 아이의 모습을 보아버린 것입니다. 어찌 제가 그냥 제 갈 길을 가버릴 수가 있겠습니까. 이 아이는 과거의 저에 다름 아닌 것을요.

그렇게 저는 지나가던 길을 멈추고 이 자리에서 아이에게 그의 머릿속에 있는 이야기와 그로 인한 의문들을 말이 되게 풀어줄 수 있을지도 모를 이야기 하나를 들려주기를 원하고 있는 것입니다. 그렇게 아이가 혼란을 극복하고 자신만의 목소리를 낼 수 있는 지점까지 다리를 하나 놓아주기를 저는 원하고 있는 것입니다.

마지막으로 목이나 한번 풀어보고 이야기를 시작하겠습니다. 아! 아!!

5-1) 나의 사정.

- 이상해.

양파가 도마 위에서 나에게 말을 걸었다.

- 모르겠어.

양파가 다시 말을 걸었을 땐
이미 반쪽으로 잘려진 후였다.
나는 반쪽진 양파를 도마 한쪽에서
통통통 다지며
어쨌든 이야기를 들었다.

- 난 양파고 너는 곧 나를 먹어 치우겠지.
그리곤 먹은 만큼 나를 내보내고
또 다시 먹어치우겠지.
나는 양파에 불과할지도 몰라.
하지만 이것만은 화심하지.
모든 건 지겨우리만치 반복돼.

그렇게 양파는 <끝없이 조잘대기 시작했다.>

하지만 나는 해줄 말이 없었는데
말을 하는 양파라니.
대단하다면 대단했지만
결국은 양파일 뿐이었으니까.

- 미안.

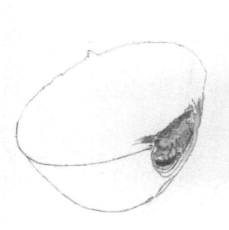
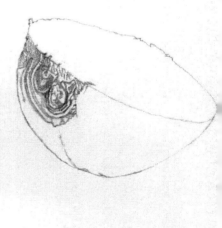

5-2) 양파의 사정.

- 에헴.

저는 말을 할 줄 아는 양파랍니다.
저에게 작은 호의를
가지셨던 분들이라면
아직 잊지 않으셨겠지만,
예의바른 양파들이 의례 그러하듯이
가벼운 인기척과
정중한 자기소개는
기분 좋은 바이올린 소리같이
모두를 기분 좋게 하는
법이죠.

네. 제 입으로 이런 말을 하기는
조금 낯간지럽지만
저는 말을 할 줄 아는 양파이기도 하지만
예의바른 양파이기도 하답니다.
또한
어떤 몰인정한 사람이
도마 위에서
반쪽으로 잘려진 후
통. 통. 통.
다져진 채로
이런저런 과정을

거친 후에
먹어치워지는 양파이기도 하죠.

양파가 말이 많기도 하다고 하실지도
모르겠습니다.
하지만,
조금의 상상력이 있으신 분들이라면
아실 수 있겠지만,
말을 한다는 것은
양파로서는 쉬운 일이 아닌 것입니다.

요리에서 양파가 이런저런 과정을
거친 다음
결국
먹어치워지듯이.
말을 하는 양파가 되기까지 저 또한
이런저런 과정을 거쳐왔습니다.

하지만
중요한 것은,
결국
먹어치워지듯이,
저는 말을 해치우게 됐다는 것입니다.

그런데
저 상상력이라곤 찾아볼 수 없는 인간이
기껏 한 짓이라고는
저를
반으로 가르고
다진 다음
이런저런 과정을 거치게 하고는
결국
먹어치워버리는 것이었다니.

어처구니없는 일이 아닐 수가 없습니다.

- 메롱.

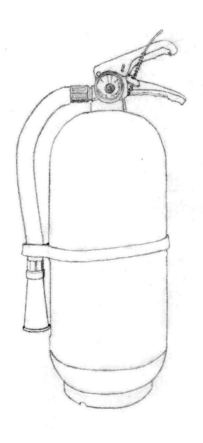

6-1) 나의 사정.

- 아이야.

어느 날
교실 구석에서
뿌옇게 먼지를 뒤집어쓰고 있는
소화기가
나를 불렀다.

말을 하던 양파의 속마음을
귀동냥으로 알게 된 후에
이번에도 무언가가 말을 걸어온다면
대화를 해보려고 노력해야겠다고
생각하던 참이었기에
나는 입을 뗐다.
어쨌든
대화는 주고받아야 하는 것이니까.

　　넌 또 왜 그러니?

넌. 어쨌든 말을 하는 소화기인 것이다. 지칭이 어색했단 말인가.

또. 나는 아직 양파의 기억을 잊지 않았던 것뿐인데.

왜. 궁금증이 잘못은 아니지 않은가.

그러니. 반말이 문제였던 건가.

?. 단지 물어본 것뿐인데.

말이 없어진 소화기 탓에,
혹시라도 내가 말실수를 한 것은 아닌지
단어들을 하나하나 뜯어보던 참에
소화기가 다시 말을 걸어왔다.

- 아이야.
걱정하지 마렴.
네가 실수한 것은 없단다.
단지
오랫동안 입을 사용하지 않았더니
말을 하기가 조금
힘이 드는 것뿐이란다.
신경쓰지 마려무나.

그건 그렇고,
네 어깨에 내려앉은
사려 깊은 먼지들이
나에게
네가 여러 가지 일들을 겪어왔다는 사실을
말해주는구나.

아이야.
어떤 외적인 특징들은
상대에게서
네가 반드시 보아야만 하는
본질적인 무엇인가를
암시해주기도 하는 것이란다.
너의 먼지들이
나에게
네 긴 여정에 대해
말해주는 것처럼 말이지.

네가 나의 목소리를 들은 것을 보자니
아이야, 아마도 너는 양파를 만난 듯싶구나.
모든 일에는 순서기 있는 법이란다.

어쩌면 양파가 네게 질려버릴 만큼
많은 말들을 쏟아냈던 것인지도 모르겠구나.
하지만 우리는 양파를 이해해야만 하는 것이란다.

그 아이는 입을 뗀지 얼마 되지 않았고
막 입을 뗀 어린 양파들이 의례 그러하듯이
자신의 이야기에만 몰두한 나머지
주변을 살필 여유가 없었던 것뿐이니 말이다.
그것이 어리석은 방식임을 알아차리기에
그 아이는 너무 어렸단다.

하지만
결국
우리는
모두 다
어떤 방식으로든
어리석은 시절을
보내기 마련인 것이란다.

그럼 이제 네게
양파와 나의 이야기를 함께 해주어야만 하겠구나.
비록 양파 덕분에 이 늙은이가 갈 길이 조금은 더 멀어졌지만
나 또한 양파를 용서하는 것이란다.
그럼 이제 어서 출발해 보자꾸나.

- 나에게 네 귀를 잠시만 빌려주렴.

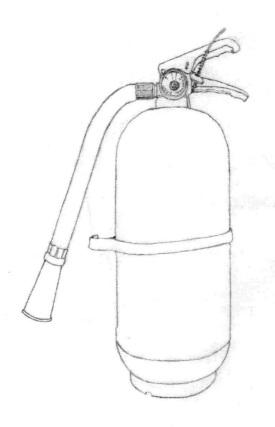

6-2) 소화기의 기억.

너도 이미 알고 있을 주류적인 결합의 결과는
자족적인 형태들의 탄생으로 이어졌는데
나는 그 원인을,
자신의 기원이 된 전체에 대한
먼지들의 찰나와도 같은 무의식적인 기억에 돌리는 것인데
자연학적으로 비유하자면
불안이 더 낮은 안정화된 상태를 향해서
일어난 것으로 볼 수 있을 것이다.

하지만 앞서 눈의 탄생에서도 보았듯이
모든 결합이 그러했던 것은 아니었단다.
즉, 모든 결합이 감정이 안정화되는 방향으로
일어났던 것은 아닌 것인데
(그리고 그렇게 이들의 결말은 어떻게 보면
끝이 정해져있는 것과도 같았던 것인데)
그 가운데에서도 가장 불행했던 형태가 있었으니
그것은 최초의 입이었단다.

눈이 호기심이라는 예외적인 감정의 크기가
존재의 불안을 넘어서면서 탄생했듯이
최초의 입 역시
외로움이라는 예외적인 감정의 크기가
존재론적인 극단적인 차이로부터 기인하는
그 감정의 크기를

넘어서면서 탄생했단다.

즉, 먼지들 가운데에는
어둠 가운데에서 떨고있는 자신을
혼자라고 느끼는 존재들이 있었던 것이고,
이러한 예외적인 감정의 자가증식이
존재론적인 불안을 넘어서는 지점에서
최초의 입이 탄생했다는 말이란다.
외로움은 걷잡을 수 없는 법이니까.

이렇게 태어난 입은
지금의 형태와는 달랐단다.

즉, 그것은,
눈의 경우와 마찬가지로
(그것이 자신의 감정의 증폭을
어느 곳에서도 정지해있을 수 없는
그 완벽한 구형으로서
표현했던 것과 같이),
그것을
자신만의 고유한
외적인 형태로서
표현하게 되었던 것인데,
그렇게
네 개의 입술을 가진 모습으로 태어난

최초의 입은
(그러한 까닭에) 아무래도 다물어질 수가 없었단다.

즉, 최초의 입은
어린 양파와도 같이
끊임없이 말을 하기 위해서
태어났던 것이란다.

그렇게
탄생의 그 순간부터
입은
자신의 본질을 반영하고 있는
그 모양으로 인해
한 순간도 쉬지 않고
많은 말들을 쏟아냈는데
그가 하는 말이라는 것은
결국
자신의 존재를 정의하고 있는
외로움이라는 감정의
표현이었단다.

이 형태를
내가 가장 불행했다고 한 까닭은
해당 형태가 자신의 이야기를 들어줄 귀를
찾을 수 없었기 때문이란다.

그렇게 들어줄 이 없는 상황은
이 형태를 정의하고 있던
그 감정에 부채질을 하는 것에 다름 아니었고
그렇게
예외적인 결합으로 인해
오히려 그 총합이 더 커졌던
그 외로움은
그 이후에도
한없이 커져만 갔던 것이란다.

그렇게
입은 시간이 갈수록
더욱 외로워지기만 할 뿐이었고
쌓여만 가던 이 외로움은 결국 슬픔이 되었단다.
그렇게 입은 처음으로 슬픔이란 감정을 느낀 형태가 되었지.
하지만 그 외로움이 그랬듯이
그 슬픔 또한 오롯이 그 자신만의 것이었단다.

그러던 어느 순간
입은 자신의 입에서 나오는 말들이 달라진 것을
느낄 수 있었는데
이는 한없이 커져만 가던
슬픔이 끝내
증오로 변질되어버린 까닭이었단다.

외로움에서 기인하는
극도의 슬픔이
증오가 되는 것은
역시 한없이 자연스러운
걷잡을 수 없는 현상인 것이란다.

그렇게 입은
이제
외로움도 슬픔도 아닌
증오의 말들을 내뱉기 시작했고
그 말들은
우주를 가득 채워나갔단다.

이를 비유적으로 말해보자면
입은 우주 초기의 인플라톤과도
같았다고 볼 수 있단다.
즉, 입은 증오의 인플라톤이 되어서
그것을 우주 가득 채워나갔던 것이란다.

물론
이때의 입도
그 언젠가의 눈처럼
말 그대로 철철 흐르는
가래침을 달고 살았던 것이란다.
내가 보는 은하수의 기원이

네게는 좀 더럽다고 느껴지는 것인지도
모르겠구나.

하지만 나는 여기에서 이러한
유치해 보이는 이야기를
하고자 하는 것이 아니란다.
내가 결국 말하고 싶은 것은
그리고 말해야만 하는 것은,
눈이
결국에는
자신을
어둠 속에
가두었듯이,
입 또한
이 걷잡을 수 없는,
1보다 큰 값을 밑으로 하는
지수함수적인 감정의 증폭 끝에
자신의 존재의 양쪽 기둥을 뜯어내는
최초의 자기파괴에 이르렀다는 점이란다.

즉
입은 더 이상
이야기만으로는 자신의
걷잡을 수 없는 불길을
감당할 수 없는 순간에 도달했던 것이고
그렇게 한계지점을 넘어선 입은

자신에게 형태적으로 가능한 유일한 선택지였던
최초의 자기파괴라는 표현형식에 이르렀던 것이란다.
걷잡을 수 없는 감정이란
결국에는 파국을 맞을 수밖에 없는 것이니까 말이다.

즉
입은 자신의 양쪽 기둥이
찢겨져 나가도록
자신을
그 한계 이상으로 벌렸던 것이고
그렇게 자기파괴적인 파멸을 한 입은
결국 스스로를 닫아 버리게 된 것이었단다.

그리고
그렇게 찢겨져 나간
두 개의 기둥은
입의 자기파괴의 역사를
유일하게 이해할 수 있었던 까닭에
스스로 귀가 되었단다.

그렇게 해서
입은 다물어 지고
귀는 생겨나게 되었던 것이고
우주는
그때

이미
자기팽창적인 에너지를 지닌
증오의 말들이
그 경계에 닿을 만큼
확대되어 있었던 것이란다.

아이야.
여기까지가
내가 해줄 수 있는 이야기의 전부란다.
바로
양파의 입과
나의 귀에 대한 이야기로서 말이지.

너무 오랜만에
많은 말들을 해서인지
몸이 무겁구나.

아이야.
마지막으로
부르튼 네 양쪽 입술 끝에
다정하게 연고를 발라주기를 바라며
이야기를 마치려 한단다.

- 좋은 꿈 꾸렴.

7-1) 나의 사정.

- 안녕.

어느날 내 몸속에서 목소리가 들려왔다.
이제는 별로 놀랍지도 않았는데
그것은 분명 내 목소리였고,
어쨌든 목소리를 듣는 것은
이것으로 세 번째였던 것이다.
좋든 싫든 익숙해질 수밖에.

- 내가 너라고 확신할 수 있니?

이 말을 듣고 나는
안방의 한쪽 구석에 놓여있는
전신거울로 향했다.
그리고 나의 몸을
그것에 비춰 보았다.
거기에는
뾰족한 머리라든지,
툭 튀어나온 아랫배라든지,
뭉툭한 손이라든지 하는
명백한 나의 특징들을 가지고 있는
몸이 비춰져 있었다.

나는 마음을 놓았다.

- 지금은 어때?

이 말과 함께
거울 속의 내 모습은
변화되기 시작했는데,
머리는 점점 동글동글해지기 시작했고,
아랫배는 서서히 들어갔으며,
뭉툭한 손은 얄쌍하게 변해갔던 것이다.
하지만 이것은 시작에 불과했는데,
그렇게 변해가던 내 모습은 끝내는
마치 어떤 추상화 속에 그려진 한 남자의 모습처럼
단순화되어서 거울 속에 자리하고 있었던 것이다.

그렇게 나는
녀석에게서
나와 녀석을 이어주는
그 어떤 개별적인 특징도
찾을 수가 없게 된 것인데,
거기에는 나의 실루엣이라고 부를만한

그 어떤 것도 존재하지 않았던 것이다.
그렇게 나는 녀석을 나의 몸이라고는
도저히 부를 수가 없게 되고 말았다.

- 지금은 어때?

이제
나는 녀석의 목소리에서 마저도
나의 흔적을 찾아낼 수가 없었는데,
무엇보다도 나는,
이는 상당히 기묘하다면 기묘한 경험인 것일 텐데,
이 기묘한 일에
이토록 놀라지 않을 수 있다는 사실에
그야말로 깜짝 놀랐다.

- 저에게도 당신의 귀를 좀 빌려주실 수 있겠습니까.

7-2) 첫 번째 남자의 이야기.

  귀가 태어나서 처음으로 들은 소리는 바로 찢을 듯이 우주 전역에서 울려대던 입이 뱉어왔던 그 증오의 말들이었습니다. 귀를 찢을 듯이 울려대던 그 소리를 처음으로 확인한 귀는 곧바로 우주 전체가 찢어지려 한다는 사실을 이해할 수 있었습니다. 당신이 들었듯이 그 팽창적인 에너지를 가진 감정을 담은 말들은 이미 우주의 끝에 닿아있었고 그럼에도 불구하고 자신의 몸집을 더욱 불려나가고 있었던 것입니다.

  그렇게 두려움에 의해서 정의된 귀는 최초의 일종의 통역기(소리와 관련된 부분은 나의 무지의 영역이기 때문에 이렇게 표현할 수밖에 없음을 용서하시라.)가 될 수밖에 없었던 것입니다. 즉, 귀청을 찢을 듯이 울려대고 있는, 우주 전역을 가득 채우고 있던 그 증오의 메아리들이 가진 진정한 의미를 유일하게 이해할 수 있었던 기관인 이 최초의 귀는, 그 모든 소음들 너머에 숨어있던, 찢어지려 하고 있는 세계의 그 위태로운 소리를 먼지들에게 들려주었던 것입니다. 그렇게 자신들의 존재의 근간을 위협하는 흉흉한 그 가려져있던 진동은 먼지들에게 최우선적인 본능의 움직임을 만들어내게 되었고, 이는 새로운 방식의 결합의 근거가 되었던 것입니다. 그렇게 먼지들은 우주 전역에 퍼져있는 팽창의 에너지를 자신들끼리 뭉침으로써 그 자신들 안에 압축시켜서 가두고 태어난 형태를 급속하게 만들어내었던 것입니다. 고유한 진동은 그에 걸맞은 고유한 유동을 만들어내는 법이니까요.

  네, 그렇게 제가 태어나게 되었던 것입니다. 그리고 이것이 바로 제가 처음으로 스스로를 인식한 그 순간에 유일하게 발견할 수 있었던 격분의 기원인 것입니다. 네, 저는 전우주적인 청소기로서 태어난 셈인 것입니다. 이는 전체를 위한 부분의 희생이라고 볼 수 있을지도 모르겠습니다. 어쨌든 전체는 구원을 받았다고 해도 저는 제 자신 안에 있는 이 격분의 해결방법을 반드시 찾아야만 하는 상황에 직면하게 된 것이고, 그렇게 해서 저는, 어떤 구두를 신은 여자아이처럼, 도무지 멈출 수 없는 격렬한 춤을, 그것의 표현으로서, 추게 되었던 것입니다 (네, 제 몸은 마치 그것을 위해 태어난 것과도 같았습니다).

여기서 반드시 말해져야만 하는 한 가지 흥미로운 사실은, 제가 춤을 추기 시작하자마자, 제 춤에 의해서 표현되고 있던 감정의 리듬에 공명해서, 닫혀있던 입이, 즉 죽어있던 입이, 다시 열리게 되었다는 점입니다. 그리고 그렇게 다시 열린 입과 저의 몸은 불안정한 그 동질적인 감정의 에너지를 낮추기 위한 자연스러운 목적 아래에서 서로의 감정을 공유한 채 하나 되게 되었습니다. 하지만, 이 결합에서 꼭 짚고 넘어가야만 하는 점이 있으니, 그것은 바로 해당 결합이, 비유적으로 말하자면 "이론의 한계를 넘어선 전기 음성도의 차이를 지닌 극성" 공유결합처럼, 압축된 증오로서의 격분이라는 감정에 지배되고 있던 제 몸에게는 오히려 더 큰 불안정을 발생시켰다는 것입니다. 즉, 다시 한번 비유하자면, 이론의 한계를 뛰어넘는 크기의 전기음성도를 지닌 저의 몸이 저와 결합한 입의, 그 공명을 통해 깨어난, 증오의 모든 에너지까지 끌어들임으로써 저의 몸의 격분의 에너지는 결합의 이전보다 더욱 커지게 되었던 것입니다. 즉, 이 결합은 주류적인 먼지들끼리의 안정한 결합과도, 중간자적인 눈과 입의 불안정한 결합과도, 다른 방식의 또 다른 유형의 불안정한 결합이 되었던 것입니다. 그리고 이 결합에 있어서 앞선 화학적인 비유와 차이가 나는 유일한 지점은, 먼지들 사이의 결합이 아닌 새로운 극단적으로 불균형한 결합에 의해서, 앞서도 말했듯이, 제 몸은 더 크게 불안정해졌지만, 반대로 입은 이제 전적으로 긍정적으로 변했다는 점입니다. 즉, 이제 입은 자신의 증오의 감정을 저의 몸에 그 뿌리까지 흡수당함으로써, 증오의 인플라톤에서 먹는 기관으로 완전히 탈바꿈하게 되었던 것입니다.

입의 먹는 기관으로의 변화를 내가 전적으로 긍정적이었다고 말하는 까닭은, 이전의 이 기관이 뱉어대던 말과 비교했을 때도 성립하는 것이지만, 무엇보다도 이 입이 제 몸의 필요에 전적으로 복속되었다는 점 때문입니다. 그리고 이는 이 입에게 부여된 새로운 생명이 전적으로 제 몸으로부터 흘러나왔던 까닭입니다. 이는 저의 이야기인 것이고, 저의 이야기는 저를 기준으로 쓰여지는 것이 당연한 것이니까요. 그렇게 저는 앞서도 말했듯이, 이 감정의 더 커진 팽창적인 특성상, 도저히 멈출 수 없는 광란의 춤사위를, 그것의 해소를 위해, 연속적으로 추게 되었던 것인데, 이는 제 유한한 몸에게 파멸하지 않기 위해서는 에너지를 외부로부터 끊임없이 보충해야 할 필요성을 대두시켰던 것이며, 그렇게 저는 광적인 춤을 추는 한편으로, 입으로 외부의 에너지원을 끊임없이 씹어서 목구멍으로 넘겨대게 되었던 것입니다. 그렇게 제 항문으로부터 행성과 운석들이 생겨난 것입니다. 여러분에게는 앞선 은하수의 기원만큼이나 이 또한 지저분하게 느껴지는 것일지도 모르겠습니다. 그렇다면 양해를 부탁드립니다.

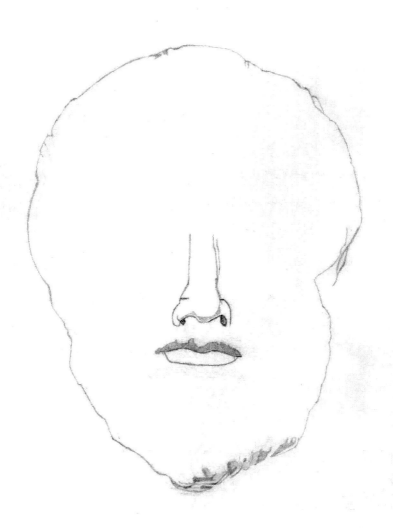

7-3) 두 번째 남자의 이야기.

이야기를 정확히 어디에서부터 시작해야 할지 잘 모르겠습니다. 저는 이야기에는 당최 재능이 없는 것입니다.

그럼 두서없이 한번 시작해보도록 하겠습니다.

앞선 남자의 춤사위는 연속적이었고, 또한 끝없어 보이는 것이었습니다. 그리고 누구도 그러한 고통을, 즉 연속적이고도 영원한, 휴식이 부재하는 고통을 견뎌낼 수는 없는 것입니다. 그렇게 그의 먹는 기관으로서의 입에서도 결과적으로 곡소리가 새어나오게 되었습니다. 몸의 입장에서 긍정적이게 된 입, 즉 몸의 논리에 철저하게 복속된 입에게서, 한편으로는 먹을 것이 넘어가는 동시에, 다른 한편으로는 죽는 소리가 새어나오게 된 것입니다. 누군들 그러한 고통을 견뎌낼 수 있겠습니까.

아, 코의 이야기를 하지 않았군요. 네, 코의 이야기를 해야겠습니다. 네, 아이가 앞서서 불완전하게 끝이 나버린 영화에 당황했던 지점의 이야기를 이제 해야겠습니다. 눈물범벅이 눈으로부터 한 뭉텅이씩 떨어서 나왔다는 것을 당신은 알고 있겠죠? 네, 저는 코의 탄생을 이 눈으로부터 떨어져 나온 눈물범벅으로 보는 것입니다. 즉, 눈물범벅 안에 있던 먼지들의 눈으로의 출입의 기억에 근거한 형태가 만들어진 것이라는 말입니다. 즉, 들숨과 날숨의 행태를 갖는 형태가 그로 인해서 만들어지게 된 것이라는 말입니다.

어쩐지 무한히 말해온 것도 같지만, 저는 이야기에는 도대체가 재주가 없는 것입니다. 이러한 이야기를 능숙한 이야기꾼들이라면 엿가락 늘이듯이 얼마든지 늘일 수 있겠지만 저는 그러한 기술을 가지고 있지 않은 것입니다. 그렇게 코의 탄생에 대한 이야기는 이렇게 끝낼 수밖에 없습니다.

하지만 저는, 역시나 왜인지 무한히 말해온 것 같은 느낌이 드는 것이지만, 재주는 없지만, 끝마쳐야만 하는 이야기는 가지고 있는 것입니다. 그럼 이만 앞으로 나아가도록 하겠습니다. 그렇게 먼지들과 영혼의 단짝이 되어버린 귀는, 상대적으로 한없이 고요해진 우주 가운데에서 애처롭게 울려퍼지는 남자의 몸이 하는 곡소리의 진동을, 잡음을 제거한 채로 정확하게, 그들에게 들려주었습니다. 오직 귀만이 그 곡소리의 진정한 의미를, 즉 남자들이 파멸해가고 있다는 사실을, 이해할 수 있었으니까요. 그리고 이 진동은 이전의 남자의 몸의 형성과 마찬가지로, 먼지들의 어떤 고유한 움직임을 만들어낸 것인데, 즉, 이번에는 먼지들이 일종의 접착제와 같은 역할을 하게 되었던 것입니다. 그리고 그렇게 남자의 몸에는 일종의 냉각장치로서의 코가 부착되었던 것입니다.

몸과 결합한, 아픔의 부산물로서 탄생한 이 기계장치의 냉각성능을 여러분은 과소평가하는 것일지도 모르겠습니다. 물론 코로 인해서, 격분으로 인해 남자의 몸이 겪고 있는 문제가 완전히 해결된 것은 아니었지만, 다수의 남자들이 태어나면서 우주가 차갑게 식어갔던 까닭에 그 냉각력은 남자의 몸에게는 상당한 도움이 되었다고 할 수 있습니다.

제가 꼭 말해야만 하는 사실은, 이러한 코와 몸의 결합이 남자에게 사고의 가능성을 부여했다는 점입니다. 즉, 남자의 몸 전체에 퍼져있던 격분이 부분적으로나마 가라앉을 수 있게 된 유일한 지점이었던 남자의 심장에서 그렇게 최초의 사고가 발생하게 되었던 것입니다. 이때의 사고라는 것은 물론 추상적인 것이 아닌, 전적으로 문제해결에 집중된 것이었습니다. 그렇게 심장은 자신의 현실적인 사고의 결과물을 남자의 손을 자신의 의지로 처음으로 움직여서 먼지들을 반죽해서 만들어내었던 것입니다.

이 기관은 먼지들의 차원을 벗어나 무엇인가의 의지로 만들어진 최초이자 유일한 형태가 된 것인데, 해당 기관은 심장의 행태를 모방해서 만들어졌습니다. 즉, 해당 기관은 남성의 몸 전체에 퍼져있던 격분의 에너지를 빨아들여서 응축된 물질의 형태로 밖으로 뱉어내는 모습이 되었던 것입니다.

(물론 이 또한 전체를 위한 부분의 희생으로 볼 수 있을 것도 같다. 이 기관으로 인해서 남성의 무도병은 치료가 되었지만, 그 자신의 부분인 이 기관이 전체가 추던 춤을 이어서 추게 되었으니 말이다. 이는 참 볼만한 광경을 연출했던 것인데, 물질을 내뿜으며 광란의 춤을 추는 그 기관이라니 어찌 참 대단한 구경거리라고 아니할 수 있겠는가.)

7-4) 세 번째 남자의 이야기.

(거두)

남근을 달게 된 남자의 몸은 그로 인해서 비로소 정신이 맑게 개었는데, 전신에서 고동치던 열광적인 북소리가 이제 그 기관으로 한정되었기 때문입니다. 그렇게 기괴하게도, 그 기관은 힘을 주체할 길이 없는 솔로이스트처럼 자신을 표현해내고 있었던 것이지만, 남자의 정신은 오히려 차분해졌던 것입니다.

그리고 그렇게 차분해진 정신으로 남자는 이제 비로소 자신의 몸을 있는 그대로 인식할 수 있었던 것인데, 그렇게 남자가 이때 자신의 몸으로부터 정확하게 느끼게 된 감각은 바로 끔찍한 통증이었습니다. 남자들의 군무로 인해서 그는 몸이 많이 상해있었던 것입니다. 뿐만 아니라, 남근의 춤도 이제 정신을 차린 남자에게 극심한 아픔을 느끼게한 것인데, 이제 남자는 자신의 몸이 하는 이야기를 온전하게 들을 수있는 정신을 가지게 되었던 까닭입니다. 어찌 춤이 피와 떼려야 뗄 수있겠습니까. 하지만 이미 만신창이가 되어있던 남자는 자신에게 실시간으로 새로운 아픔들을 더해주고 있는 이 기관을 도저히 미워할 수없었는데, 그것이 (과거의) 자신에 다름 아님을 그만큼 잘 이해하고있던 존재도 없었기 때문입니다.

그렇게 해당 기관을 자신의 것으로 받아들이기로 한 남자의 입에서는, 즉 남근의 아픔을 짊어지기로 결정한 남자의 입에서는, 귀를 거쳐야만 했던 본능적인 곡소리와는 구분되어야만 하는, 정확히 인식된,한결 세련되어진 노랫소리가 새어나오게 되었습니다. 그리고 이는, 귀를 거친 간접적인 방식이 아닌, 공명의 과정을 통한 직접적인 결합의 과정을, 즉 입과 몸의 결합과 큰 의미에서는 동일한 과정을 촉발시켰습니다. 즉, 남자의 입에서 나오는 노랫소리에 직접적으로 공명하며 감겨있던, 즉 죽어있던 눈이 새로이 뜨이게 되었고, 서로의 아픔을 달래기 위해서 하나로 "무극성" 공유결합을 하게 되었던 것입니다. 이때의 남근을 제외한 남자의 몸은 거대한 크기를 갖던 격분에 의해서 더 이상 정의되지 않게 되었던 것이니까요. 우리는 이때의 공유결합이 극성을 띄지 않았다는 사실을 통해서, 눈들이 과거에 느꼈던 고통의 크기가 남자들과 마찬가지로 끔찍한 것이었다는 점을 비로소 이해할 수 있을 것입니다.

그렇게 결과적으로 아픔의 크기가 안정되게 된 이 세 번째 남자는 우주를 온전하게 바라본 최초의 유기체가 되었던 것이고, 그의 눈에 비친 우주의 모습은 그에게 어떤 충격으로 다가왔던 것입니다. 즉, 그 우주는 남자들의 군무에 의한 사체들과 피로 짙게 물들여져 있었던 것인데, 이러한 모습은 눈이 가지고 있던 기억과 극단적으로 대비가 되었던 까닭입니다. 그러니까, 이는 눈이 받은 충격을 전체가 경험한 것이라고 볼 수 있을 것입니다.

하지만 이러한 충격은 제가 하려는 이야기의 본질이 결코 아닙니다. 제가 하려는 본질적인 이야기는 바로 아픔과 남근에 대해서 다른 생각을 가진 남자들이 존재했다는 것입니다. 즉, 거기에는 조금의 아픔도 견딜 수 없어하던 남자들이 존재했던 것인데, 이들은 "무극성" 공유결합으로 인해 크기가 줄어듦으로써 남자들에게 공통적으로 견딜 수 있는 것으로 받아들여졌던 몸과 남근의 아픔을 일절 견딜 수 없어했고, 그것을 해결해야 할 문제로 받아들였던 것인데, 이들은 그렇게 그 해결책을 얻기 위해서 맑개 갠 머리를 굴리게 되었던 것입니다.

물론 저는 그들이 아니기 때문에 그들의 이 생각의 흐름을 속속들이 알 수는 없지만, 그들이 내어놓은 해결책이 너무나도 분명한 것이었기에, 이로부터 그들의 머릿속을 엿볼 수 있다고 한다면, 아마도 그들은 춤과 아픔을 정확하게 연결시켰던 것 같습니다. 즉, 그들은 그들이 추어왔던 춤을 그리고 이제는 남근이 이어서 추고있던 춤을 아픔의 원인으로 결론을 내린 것 같다는 말입니다. 왜냐하면, 그들이 내어놓은 해결책이라는 것이 바로 남근을 뿌리째 뽑아버리는 것이었기 때문입니다.

　미친 듯이 날뛰어대는 남근은 남자들의 군무로 인한 파괴처럼 정확하게 아픔과 연결되어 있었던 것이고, 그들은 그것을 혐오했기에, 결과적으로 그 원인을 제거하기로 했던 것으로 저는 그들의 행동을 이해하고 있는 것입니다.

　(절미)

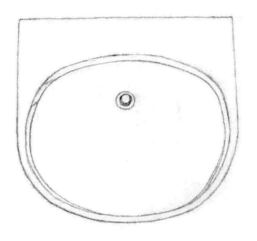

8-1) 나의 사정.

– 헬로.

어느날
내 몸속에서
다시
목소리가 들려왔다.

– 춤을 추는 남자에 대해서 알고 있니?

– 응.

– 그렇다면 이번이 두 번째가 되겠구나.

– 뭐가 두 번째라는 건지 잘 모르겠는데.

– 아마도 내가 지금 남자의 경우와 비슷한 과정을 겪고 있는 것 같다
는 말이야.

– 하지만 너는 춤을 추고 있지 않잖아?

- 앞선 이야기들을 잘 들어왔다면, 너도 내가 춤을 좋아할 수는 없을 거라고 생각하지 않니? 그리고 무엇보다도 반복되는 형식 역시도 나는 도무지 좋아할 수가 없는 것이야. 하지만, 너에게 귀가 있다는 점만은 나의 마음에 꼭 드는 것이란다.

- 그래? (뭐. 어쩔 수 없지.)

대화가 진행되면서 내 몸은 조금씩 변화되는 것처럼 보였다. 그리고 대화가 끝남과 동시에 내 몸은 모든 여자의 몸을 대표할 수 있을 정도로 단순화되었고, 결국 이번에도 나는 역시 그것을 더 이상 나의 몸이라고 부를 수가 없게 되었다.

그렇게 이번에도 몸속에서 (놀랍지 않은) 목소리가 들려왔다.

- 저에게도 당신의 귀를 좀 빌려주세요.

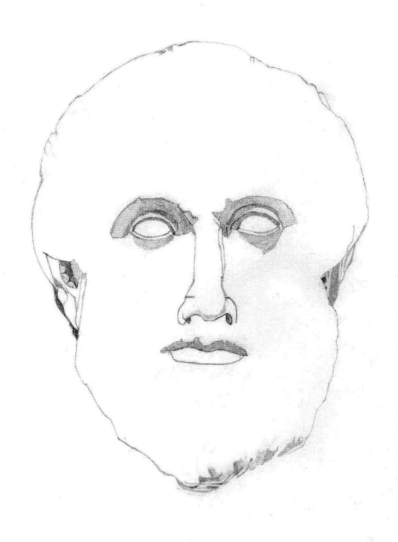

8-2) 첫 번째 여자의 이야기.

격분이라는 뿌리를 가진 채 끊임없는 격렬한 춤을 추고 있던 아픔의 원인을 제거해서 검은별 안으로 던져버림으로써 태어난 여자들은 이러한 결정이 문제의 해결로, 즉 그들의 구미에 털끝만큼도 맞지 않았던 아픔의 완전한 제거로 이어질 것으로 생각했지만, 그들의 이러한 행위는 예기치 못했던 심각한 문제를 발생시켰습니다.

즉, 그 기원을 외로움으로까지 연결시킬 수 있을, 이 날뛰어대던 기관이 뿌리째 뽑혀나가자, 커다란 에너지로 가득 차 있던 자리에 그 제거로 인한 거대한 공허(cavity)가 자리잡게 된 것입니다. 그리고 그것의 다른 이름인 여자의 자궁이, 마치 검은별의 그것처럼, 여자의 전신을 빨아들임으로 인해서 그녀의 전신이 구겨지게 되었던 것입니다.

그렇게 이때의 여자는 자신의 전 존재를 빨아들이는 그 공허에 의해서 정의되게 되었던 것입니다.

흥미로운 점은, 이렇게 구겨져가던 여자의 몸이 내던 그 공허의 울림이, 조용해진 우주(우주에 퍼져있던 거대한 팽창의 에너지가 남자들의 몸 안에 압축됨으로써, 그리고 남자의 몸이 눈과 결합하게 된 이후에 그의 입이 더 이상 노래를 부르지 않게 됨으로써, 우주가 극단적으로 조용해졌던 것입니다. 그렇게 현재의 우주 팽창의 에너지는 남아있는 ~~증오~~의 미세한 흔적일 뿐인 것입니다.) 가운데에서 여지껏 들어왔던 소리들과의 그 격차에, 즉 다시 말해서 이제 더 이상 세계 가운데에서 자신이 할 수 있는 일이 없다는 감각에 사로잡혀 있던 귀와 공명함으로써, 두 번째 "이론의 한계를 넘어선 전기 음성도의 차이를 지닌 극성" 공유결합을 이루어내게 되었다는 점입니다. 격분의 제거는 그에 걸맞는 크기의 공허를 뒤에 남기게 되었으니까요. 그리고 그렇게 이때 최초로 온전한 인간의 형상이 만들어지게 되었던 것이죠.

그리고 이 결합은 첫 번째의 해당 결합과 동일하게, 여자의 공허의 크기가 오히려 더 커지는 결과를 만들어내게 되었던 것입니다. 그렇게 안정을 위한 결합이, 양자 사이의 이론의 한계를 벗어난 힘의 차이에 의해서, 결과적으로 오히려 공허를 더 키움으로써 여자의 몸은 더 빠르게 구겨지며 그 속으로 빨려들어가게 되었던 것입니다(오늘날의 귀의 형태는 이 구겨져가던 여자의 몸과 결합한 이후의 그것의 흔적이라 하겠습니다).

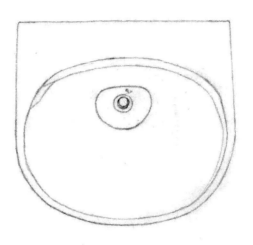

8-3) 두 번째 여자의 이야기.

공허 속으로 완전하게 빨려들어가 소멸해버리는 것을 막기 위해서 이제 여자는 자신 주위의 사물들로 그 공허의 입구를 막기 시작했습니다.

하지만 얼마간은 그렇게 일종의 마개에 의해서 막혀있던 공허는, 마치 '유사' 검은별처럼, 그것들을 이내 먹어치워 버림으로써 공허의 입구는 끊임없이 다시 열렸으며, 그 사이 입으로 먹는 에너지에 의해서 어느 정도 회복한 여성의 몸은, 다시 이번에는 더 빠른 속도로 구겨져 갔습니다. 여자의 공허가 마치 검은별의 어둠과 "유사하게[이는 유사할 뿐 나는 이를 검은별과 결단코 동일시하지 않는 것이다]" 그것들을 마시며 더욱 커지고 있었기 때문입니다.

이 과정은 불연속적으로 끝없이 반복되었던 것이고 그 주기 또한 공허의 크기에 비례해서 점점 짧아지고 있었던 것이지만, 이는 여자에게 문제해결을 위한 시간을 허락해 주었습니다. 즉, 귀와의 결합이 자연적으로 해결하지 못한 문제를 인위적으로 해결할 수 있는 가능성을 부여한 것입니다.

그렇게 여자는 그 단축되어만 가는 주기라는 단두대에 의해서, 결국 자신이 태생적으로 가지고 있던 남근에 대한 혐오를 넘어서서 그것의 장점을 인정하는 지점에 강제적으로 자리하게 되었던 것입니다. 즉, 그녀는 그것을 자신의 공허를 영원히 채워줄 수 있는 기관으로서, 즉 자신이 현재 겪고 있는 현실적인 문제를 완전하게 해결해줄 수 있는 기관으로서, 다시 말해 자신의 공허와 정확히 동일한 크기를 가진 등가적인 기관으로서 승인할 수밖에 없는 지점에 자리하게 된 것입니다. 그리고 그렇게 남자와 여자는, 여성의 현실적인 궁리 끝에(자신의 공허에 끝없이 물질을 대어줄 수 있는 기관으로서), 처음으로 결합하게 되었던 것입니다. 일상의 세계에서 목숨은 제일의 가치를 가지는 것이 니까요.

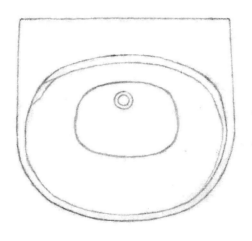

8-4) 첫 번째 여성의 이야기.

나는 나의 이야기를 이 성(sex)의 탄생지점에서 끝마치려 한다. 즉, 남근으로부터 나오는 물질을 흡수하면서 더욱 커져만 가던 여성의 공허가 어떤 결말을 맞은 것인지, 그리고 아이는 어떻게 해서 그 공허 속으로 삼켜지지 않고 밖으로 탈출할 수 있었던 것인지에 대해서는 전혀 말을 하고 싶지 않은 것이다. 그것은 끔찍한 이야기일 뿐이기 때문이다. 따라서 이쯤에서 나의 이야기를 마쳐야겠다. 여러분 모두 이제 안녕인 것입니다. Bye bye~

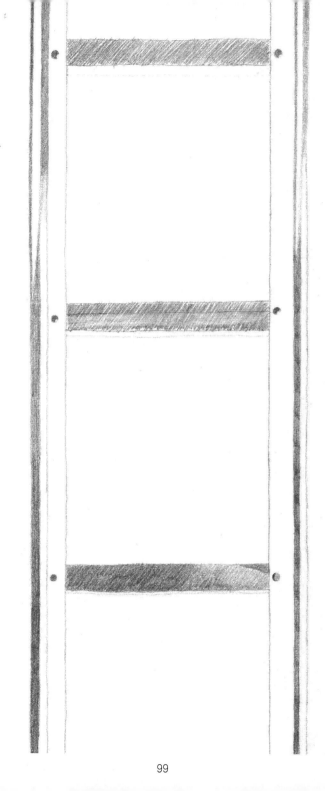

(마지막 삽입장 1)

그는 내가 챙겨 온 가방을 보더니 이렇게 말했다. "떠나는 거야?"
나는 고개를 끄덕거렸다. 그가 날 잡으리라는 걸, 분명 나를
잡으리라는 걸 알고 있었다. 우리 둘 모두 외톨이였으니까 말이다.
아무런 이유 없이 그를 떠나갈 수는 없다.

– 곰브로비치, <<페르디두르케>> 가운데

"이미 말해진 것이지만, 저는 아이에게 다리가 되어주기를
(Pontifex) 원했던 것입니다. 그리고 저는 아이가, 그 누구도 자신을
이해하지 못함에, 그리고 무엇보다도 자신조차도 자신을 완전하게 이
해하지 못함에, 그 극단적인 외로움 가운데에서 자신의 정신을 둘로
찢어내어 강제로 성장시킨 존재인 것입니다. 즉, 자신을 찢어내서 만
들어낸 윌슨과도 같은 존재인 것입니다. 하지만 이제 제가 그의 곁에
있어줄 수 있는 시간이 다 한 것입니다. 모든 것에는 끝이 있는 법이
며, 이제 아이는 자신만의 길을 떠나가야만 하는 것입니다. 아이야, 미
안해하지 않아도 된단다…"

{마지막 삽입장 2}

(1) 시적 인식론: 시적 인식의 비극성에 대하여.

길게 이야기할 수 없다.

 1) 아리스토텔레스의 뒤바뀜과 깨달음 그리고 파토스

 아리스토텔레스의 개념들에 대한 인용 - 뒤바뀜(peripeteia): "행동의 방향이 완전히 반대가 되는 것"; 깨달음(anagnorisis): "문자 그대로 무지에서 지식으로의 변화를 말하며, 그리하여 인물들로 하여금 서로 친밀하거나 적대적인 관계를 갖게 하며 그들의 행복이나 고통에 관련된 변화가 생기게 하는 것"; 파토스(pathos): "고통이란 관객이 볼 수 있는 죽음, 심한 괴로움의 장면, 부상, 기타 그와 비슷한 종류의 파괴적이거나 고통스러운 행위들이다".

 뒤바뀜과 깨달음 그리고 파토스는 플롯 구성의 세 가지 요소이다. 또 다른 인용: "이처럼 뒤바뀜과 깨달음은 플롯 구성의 두 요소이고, 나머지 하나는 '고통'이다." 그래, 이러한 인용이 나의 생각과 부합한다. 나는 고통에 방점을 찍고 싶은 것이다. 하나와 둘, 그리고 '파토스'. 물론 이러한 방점을 아리스토텔레스가 찍은 것은 아니다. 오히려 그는 고통에 대하여, 앞으로의 나의 길지 않은 논의의 한 축이 될 시학 11장을 제외하고는, 이렇다 하게 논하고 있지 않다. 11장의 표제 역시 뒤바뀜과 깨달음이다. 이러한 표제 역시 아리스토텔레스가 쓴 것은 아닐 것이지만 본문의 중심은 뒤바뀜과 깨달음이며, 고통은 일종의 coda(tail)처럼 자리하고 있을 뿐이다. 나는 여기에서, 베토벤이

"Eroica"에서 했다고 들은 것처럼, 이러한 꼬리를 길게 늘이려 한다.

서론은 이쯤하자. 작은 완결성을 위해서 언제까지고 머리만을 정밀 묘사하고 있을 수는 없다.

아리스토텔레스에 따르면 비극의 모든 요소들은 플롯에 종속하는 듯 보인다. 아니, 정확하게 말하자면 요소들이 플롯으로부터 파생되어 나오는 것이다. 아리스토텔레스의 영혼론을 읽은 바 없지만 이러한 시학의 관점은 충분히 영혼론에 연계될 수 있다고 여겨진다. 이러한 연계로부터 어떠한 논의가 파생되든지 말이다. 왜냐하면 플롯이 바로 비극의 영혼이기 때문이다. 이쯤하자.

행동의 방향이 완전히 반대가 되는 것은 단순한 반대를 위한 반대가 아니라 전체적인 사건들의 배열 속에서 개연적이고 필연적으로 그렇게 현상하는 것이다. 반복하자면, 플롯으로부터, 영혼으로부터, 뒤바뀜이 파생되는 것이다. 깨달음과 고통 역시 이와 동일하다. 그리고 아리스토텔레스는 깨달음과 뒤바뀜의 결합이야말로 큰 연민이나 두려움을 자아낸다고 쓰고 있다. 비극은 바로 이러한 연민과 두려움을 자아내는 사건들의 모방인 것이다.

다시 인용: "깨달음과 뒤바뀜의 결합이야말로 큰 연민이나 두려움을 자아낸다. 우리의 정의에 따르면 비극은 바로 이런 종류의 사건들의 모방인 것이다. 그런 경우에야 비극적인 고통 또는 행복이 생기기 때문이다."

내가 말하고 싶은 그리고 말할 지점은 앞의 두 문장이 아니라 뒤의 한 문장이다. 하나와 둘, 그리고 행복과 고통이다. 행복과 고통이라니, 나는 행복을 버린다. 내 기억에 따르면 아리스토텔레스 역시 행복을 이미 버렸다. (비)극의 바깥에서는 연민과 두려움이 일어나지만, (비)극의 내부에서는 고통이 발생한다. 파괴적이거나 고통스러운 비극적 행위들이 (비)극의 내부에서 발생한다. 그리고 이는 <<오이디푸스 왕>>에서도 보여지듯이 지독히도 자기 파괴적인 것이다.

나는 하나와 연계된 둘을 '비극적 인식'이라고 부르고 싶다. (나는 행복을 버렸으며, 고통은 이미 아리스토텔레스에 의해서 비극적이라 명명되었다.) 그렇다면 이때의 이 비극적 인식의 성격은 어떠한 것인가. 이는 '기대를 벗어나는 인식'이다. 그러나 이러한 인식 역시도 플롯으로부터 파생된 것이기에 이는 개연성과 필연성의, 다시 말해서 논리성의 영역 아래에 놓인다. 이는 아리스토텔레스가 쓰고 있는 '놀라운 사건'이 아니다. 즉, 비극적 인식은 개연성 없는 사건이 아니다. 비극적 인식은 결코 "개연성에 어긋나면서도 일어날 개연성이 있는 일도 많은 까닭"이라는 아가톤의 말을 따르지 않을 것이다.

정리하자면, '비극적 인식'은 기대를 벗어나는, 예상치 못한 사건이지만 이는 인과의 영역에 놓여있는 것이다. 나는 이러한 비극적 인식의 성격이 (비)극의 바깥에 위치한 관객들에게만 유효할 뿐이라고 생각하지 않는다. 이는 (비)극작가의 시적 기술 아래에 놓여있을 뿐만 아니라, (비)극 내부에서 또한 유효하다고 생각한다. 다시 말하자면, 이는 비극적 주인공의 비극적 인식의 상황의 양상에 있어서 유효한 것이다. 오이디푸스 역시 논리적 연결성을 가진 예상치 못한 사건에 그야말로 급습당한다. 하지만 오이디푸스의 자리에서는 이것이 연민과 두려움으로 연결되는 것이 아닌, 비극적인 고통과 연결되며, 끝내 이는 비극적이라 부를 수밖에 없을 자기 파괴에 도달한다. 오이디푸스는 이야기 속에서 이보다 더 비극적일 수 없는 방식으로 파멸하는 것이다. 그리고 이러한 파멸이 '관객과 작가 그리고 비극적 인물'을 단번에 엮어낸다.

2) 벨린스키의 시적 사상과 파토스 그리고 작가

'<u>나만의 이해</u>'의 골자(骨子)는 이러하다: '시적 사상이 시인에게 파토스를 불러일으키며 그것의 다른 이름은 생명, 사랑 곧 열광적인 지향성이며 이는 시인의 영혼의 짐이자 시인이 결코 벗어날 수 없는 지향성을 동반한 운명이다. 이러한 강렬한 매혹을 필연적으로 동반하는 시적 이념은 자신의 형상화에 작가의 전존재를 요구한다. 작가 자신의 전존재를 자신에게 던지기를 신비스러운 방식으로 요구하는 이러한 시적 이념의 극단적으로 이기적인 모습이 시인의 고통의 근원이며, 창조의 고통의 비밀이다.'

길게 이야기할 힘이 없다. 2장은 이것으로 끝내기로 한다.

3) 조각들(Fragment): 파토스의 부재에 대한 대응(?) - 오직 다소간 모자이크적인 논의(?)

- 리쾨르의 인용: "그리고 실제로 어떠한 실천적 추론에서도 욕망의 언어적 표현을 도입하는 것은 항상 가능하다."

- 욕망에 대하여: 아리스토텔레스에 따르면 비극적 인식으로부터 비극적 고통이 기인한다. 나는 이를 시적 이념과 그로부터 기인하는 시인의 파토스와 연결지음으로써 시적 인식에 비극적 성격을 부여하기를 원한다.

– 욕망의 일면성, 다시 말해서 욕망의 일면적 충실성: <힘>으로서의 욕망의 부재와 그로 인해 홀로 남겨질 <이유>로서의 욕망.

– 단지 욕망의 양상들일 뿐.

a) 하나≤관객으로서의 작가

자신의 내면에서 일어나고 있는 그 극단적인 고통의 상황(시적 사상으로부터 그것의 인식과 형상화에 시인의 전존재를 희생하기를 신비스럽게 - '달콤함과 고통의 혼재' 혹은 '능동과 수동의 혼재' - 요구받는 작가의 상황)을 연극적으로 관람하는 작가. 이러한 연극적 상황으로부터 작가는 자기 자신에 대해서 관객의 입장에 서며 이는 아리스토텔레스의 논의에 따르자면 연민과 두려움을 그 자신에게 일으킬 것이다. 어쩌면 이러한 <u>뒤바뀜의 연극적 상황</u>이 작가의 <u>자기 연민</u>과 <u>자기 두려움</u>의 작동 방식일지도 모르겠다.

나는 이러한 상황에서의 카타르시스(Katharsis)의 가능성을 묻지 않을 수 없다. 이는 자기 자신으로부터의 거리두기(Verfremdung)가 실제적으로 가능한가 하는 문제와 연관될 것이다. 나는 단순히 상황(Umwelt)으로부터 벗어남으로써, 세계(Weit)를 구성함으로써 이러한 국면(?)이 해결된다고 생각되지는 않는다. 이는 지독히도 실제적인 차인의 문제인 것이다. 실제적 고통이 어떻게, 언제 비로소 해소될 것인가를 나는 묻는 것이고, 이는 작가의 존재의 구원에 대한, 그 조건에 대한 물음이다. 리쾨르는 이러한 거리두기가 가능하다고 보고 있을 뿐만 아니라, 이러한 거리두기의 창조적 기능과 비판적 기능을 연결짓고 있는 것이지만 나는 이러한 작가의 상황에서의 카타르시스의 가능성으로서 오직 하나의 탈출구만을 생각할 수 있을 뿐이다. 이는 아래에서 이야기하기로 하자. (자기 연민과 자기 두려움에 대한 논의는 해당 논고에서 할 생각이 없다.)

b) 둘≤작가로서의 작가

작가로서의 작가의 핵심적인 운명은 바로 시적 이념에 육체를 부여하는 형상화 작업에 있다. 이는 한편 능동적인 운명이다. 요구받는 만큼 작가는 스스로 매혹되어 지향하는 것이다. 고통받는 만큼 작가는 행복하다. 행복이라니, 나는 이 지점에서 행복을 버릴 수 없다. 나의 생각의 핵심은 이러하다. **시적 사상의 요구에 걸맞는 형상을 그것에 부여했을 때에야 비로소 그는 그것의 매혹으로부터 벗어날 것이다.** 이제 그것은 그에게 더 이상 신비로운 것, 비밀스러운 것이 아니기 때문이다. 그것은 자신의 정체를 완전히 형상으로서 드러낸 것이며, 이러한 적나라함에는 매혹이 있을 수 없다. 신비와 매혹은 비밀스러움에 근거하는 것이기 때문이다.

이것이, 오직 이것만이 작가를 그 영원과도 같은 고통으로부터 해방시킨다. (영원이라니, 나는 이에 대해서 이야기하고 싶다. 하지만 여력이 될지 알 수 없다.) 오직 이것만이 작가를 자기 연민과 자기 두려움으로부터, 그리고 무엇보다도 그 자신의 파토스로부터 해방시킨다. 오직 이것만이 작가의 구원이다. 작가로서의 작가의 작업만이 그것을 가능케 한다. 나는 이를 세계의 구성이라 부르고 싶지 않다. 왜냐하면 나는 앞선 작가의 고통의 상황을 단순히 철학적으로 '상황'이라고 불리는 그러한 것으로는 도저히 생각할 수 없기 때문이다. 그리고 나는 이에 이미 '영원'을 연관지었다. (하지만 이는 어쩌면 그것과 연관이 있을지도 모르겠다. 그래, 지금은 모르겠다.) 이쯤하자.

한 가지 더 말해야 할 것이 있다. 자신에 걸맞는 육체를 원하는 것은 시적 사상이다. 즉, 시적 사상과 형상, 형식은 서로 떼려야 뗄 수 없는 관계에 있는 것이다. 이 둘 사이에 그러한 필연적 연관이 없다면 작가가 자신의 고통을 영원으로 느낄 이유 또한 없을 것이다. 대충 아무런 형식이나 주어버리면 그만일 것이니 말이다. 벨린스키에게서 모순되는 점은 이러한 불가분의 관계성에 대해 쓰고 있다가도 어느 지점에선가는 형식을 시적 이념과 분리되어서도 충분한 의미가 있는 것으로 서술하고 있다는 점이다. 이는 나의 예술관에 반한다. 나는 이를 납득할 수 없다.

오이디푸스를 끌어들이자. 나는 이 이야기의 파국을 이렇게 이해한다. 오이디푸스의 비극적 인식(아버지를 죽이고, 자신의 어머니와 잠자리를 함에 대한 깨달음)은 그 자신을 완전히 휘어잡고 있으며, 그에게 파토스를 불러일으킨다. 즉, 그를 파괴적인 행위로 이끈다. 그렇게 그는 끝내 자신의 두 눈을 찌른다. (비)극의 이야기는 이렇게 완결된다. 나는 이러한 오이디푸스의 비극적 인식과 자신의 두 눈을 찌르는 행위로서의 비극적 인식의 최종적, 파국적 형상화 사이에는 불가분의 관계가 놓여있다고 생각한다. 질문은 이러하다. '어째서 오이디푸스는 자신의 눈을 찌른 것인가. 어째서 다른 행위가 아닌, 바로 그 행위를 해야만 했는가.' 그리고 그에 대한 대답으로서, 나는 이러한 고정된 비극적 행위와 그에 앞선 비극적 인식의 위치를 뒤집기를 원한다. (나는 이미 오래전 객관을 버린 것이다. 객관이라니, 하! 주관만큼이나 웃기는 말이구나. 나의 입술은 '영원'을 노래하길 원한다.) 즉, **결국 시인은 눈먼자에 다름 아닌 것이다.** 이러한 방식을 통해서 나는 작가의 작업 역시도 결국 자신의 내면에 아직 매혹으로서 남아 있는 그 비밀스러운 어떤 것(X)의 베일을 벗겨가는 것이라 이해한다. 나는 이를 깨달음과 연관짓는 데에 무리가 없다고 생각하며, 시인을 눈먼자에 비유함으로써 그것이 불가능함을 말하고 있는 것이다.

c) 셋=비극적 인물로서의 작가

작가의 작업은 결국 비극적 인물의 파괴적이고도 고통스러운 행위와 같은 것이다. 그 가운데에서도 나는 <<오이디푸스 왕>>에 기대어 이를 불가피한 자기 파괴적 행위라 명명하길 원한다(욕망한다). 결국 나는 이것을 말하기를 원했던 것이다.

당신에게는 단절 이후에 나의 파토스가 되살아난 것으로 보이는가. 전혀 그렇지 않다. 파토스는 나의 의지를 벗어난 문제이다. 영감은 본래 그렇게 생겨먹은 것이다. 나의 의지가 할 수 있는 일이라고는 내면의 어떤 필연적인 요구를 감지하고 그에 따르며 영감의 순간을 준비하는, 기다리는, 예비하는 것 뿐이다. 영감을 자발적으로 불러일으킬 수는 없지만, 영감의 순간이 도래하기 위해서 준비되어야만 할 필연적 요구들을 우리는 자신의 내면으로부터 영원히 들을 수 있다. 당신이 그 떨림을 들을 수 있다면, 그리고 그것을 견뎌낼 수 있다면, 그러니까 그것에 대해 당신을 영원히 희생시킬 수 있다면, 당신에게 영감의 순간이 영원과도 같이 도래할 것이다. 하지만 그 끔찍한 길을 실제로 걸어가는 이는 터무니없을 만큼 소수인 것이다. 하물며 그 길을 온전히 견뎌낸 이가 어디에 있다는 말인가…. 이쯤하자. 나는 무한을 다루기를 원하지만 여기에서는 아니다. 나는 무한마저도 그 안에 여유롭게, 한없이 여유롭게 담아낼 수 있는 유한한 형상을, 하나의 닫혀진 체계를 만들기를 원한다. 하지만 그것은 이 논문의 문제가 아니다.

어쨌든 조각들이라 명명했을 때조차도 이들 사이에는 연결성이 필연적으로 존재했다. 그리고 최종적으로 '작가에 대하여'라 이름붙일 수도 있을 이 부분 혹은 본 논고 전체 그리고 더 나아가서는 나의 개인적인, 그 영원과도 같은, 끝이 보이지 않는 '고통과 행복'의 작업, '능동성과 수동성'의 작업 전체를 엮어내는 것은 바로 시적 사상, 혹은 말해져야만 할 것의 완전한 형상에 있다. 작가의 자기 연민과 자기 두려움도, 그리고 그 불가피한 자기 파괴로부터의 구원의 가능성도 오직 작가의 형상화 작업의 완결에 있다. 다시 말하지만, 관객으로서의 작가와 작가로서의 작가, 그리고 비극적 인물로서의 작가의 구원은 오직 그 형상화 작업의 완결에 있는 것이다. 본 논고 역시 이것으로 완결이며, 이로써 본 논고의 작가로서의 나의, 앞선 전체 논의를 포괄하는 신비로운 상황은 구원을 맞았다. (아멘)

* 사랑에 대한 단상(斷想)

이는 벨린스키의 글을 읽으며 적어본 사랑에 대한 짧은 메모이다.

시의 형식은 시적 이념과 분리될 수 없는 것이기에 벨린스키가 도덕적 특성이 없는 아름다움으로서의 형식미를 이야기할 때(미의 여신의 신비스러운 무늬, 카프리다의 띠), 이는 단순히 형식에만 한정될 수 없다. 왜냐하면 시적 이념이 시인의 전존재(全存在)를 요구하는 것은 바로 자신에 걸맞는 육신의 창조에 있기 때문이다. 시적 이념 자체가 자기만의 형상을 창조하도록 시인에게 고통스럽게 요구하는 것이며, 매혹시키는 것이다. 그렇기에 시를 어린아이의 무의식적 미소에 비유할 때에도, 나는 역진적으로 나아가며, 그 아름다움의 근거를 시적 이념에서 찾을 것이다. 그렇기에 피타고라스가 천체의 질서정연한 움직임(형식)에서 아름다움을 발견했을 때, 그것에 매혹당했을 때(형식미), 이는 현상의 이면에 있는 시적 이념(세계의 조화)에 근거한 것이다.

여기에서 나의 생각은 벨린스키와는 다르게 나아간다. 벨린스키의 말처럼, 삶과 자연 속에 시가 있다면 이는 다름이 아니라 시인의 매혹과 그의 지향성을 삶과 자연의 시(매혹적 아름다움)의 근거로서 투사하는 것일 수밖에 없다. 신비주의적이고도 종교적인 방향으로 나아가지 않는다면 말이다.

한 걸음 더 나아가보자. 상황이 이러한 것이라면, 이는 결국 시인 자신의 내면에 '대상에 대한 매혹에 앞서는 시적 이념이 존재한다'는 것을 의미할 것이며, 바로 그 시적 이념이 자신의 육체의 한 부분으로서 대상을 끌어들인 것이라 할 것이다. 이때의 작가의 육체는 단지 도구적인 것에 불과할 뿐이다. 고통을 감당하기 위한 도구 말이다. 이러할 때 아름다움이란 무엇인가. 이는 다름 아닌, 작가의 내면에 존재하는 시적 이념이 자신의 형상의 한 부분으로서 인정한 대상이, 허울뿐인 주체 각자에게 아름답게 인식되는 것일 것이다. 결국 대상의 아름다움이란 작가 내면의 시적 사상에 근거한다.

아마도 다시 상황이 이러한 것이라면, 사랑은 본질적으로 대상의 아름다움으로 끌려들어가는 것이 아닌, 허울뿐인 주체의 내면의 시적 사상으로부터 자신의 형상의 구성요소로서 걸맞다고 인정받은 대상의, 이제는 인식 도구로서의 주체로의 끌려들어옴일 것이다. 대상의 아름다움은 대상 자체에, 우리의 외부에 존재하는 것이 아니며, 오직 허울뿐인 주체의 내면에 위치한 그 신비스러운 시적 사상에 걸맞은 것으로 인정됨으로써만 대상이 '매혹적인 아름다움을, 사랑을 불러일으키는, 파토스를 불러일으키는 아름다움'을 지닌 것으로 허울뿐인 인식 주체에게 인식되는 것이리라. 이때에야 비로소 대상은 허울뿐인 주체에게 시로서 읽히는 것이리라.

결국 자연과 삶으로부터 시를 읽어낸다는 것은 다름 아니라, 시인 자신의 내면의 비밀스런 시적 이념에 근거한 것이며, 이러한 상황은 허울뿐인 주체에게 아름답게 현상하는, 인식되는 대상들을 이해함으로써 내면의 시적 이념의 비밀에 역진적으로 도달하는 방법론의 근거 역시 될 수 있을 것이다.

나는 미의 여신이 지녔다는 그 신비스런 무늬를 이제 이렇게 이해한다. 이러한 무늬가 신비스러운 까닭은 오직 시인 내면의 시적 사상의 비밀스러움에 근거하며, 이러한 신비스러운 무늬는 결국 시인을 매혹시킨, 시인에게 사랑을 불러일으킨, 대상의 이면에 존재하는, 투사된 시인 자신의 시적 이념과 그로 인한 역시 시인 자신 내부의 열광적 지향성의 궤적으로서의 무늬라고 말이다.

대상의 아름다움은 대상이 우리 자신 내부에 있는 어떤 비밀스런 것에 이끌려 들어온 것이며 또한 우리가 열광적으로 지향했던 대상의 아름다움은 사랑의 대상 자체에 내재한 것이 아닌 허울뿐인 인식주체에게, 자신의 비밀스러운 지점에 의해 승인되어 그 신비스러운 지점으로 끌려들어와 바로 그것에 위치한 대상이 매혹적으로 현상한 것일 뿐이라는 우리의 앞선 논의에 근거했을 때 사랑에 대한 일반적인 견해들은 충분히 포괄적으로 이해될 수 있는 것 같다.

여기에서는 이러한 인식의 주관적 측면에 대한 반박은 언급하지 않으려 한다. 단지 한 마디 덧붙이자면, 이는 영원과도 같은 것, 아니 차라리 영원 그 자체라는 것이다.

"Ηλι ηλι λεμα σαβαχθανι"

(2) 시적 존재론: 이바노프(즉, 절망)에 대하여.

1) The contract

체호프의 《이바노프》는 시인을 정의하는 제1의 징표에 대한 극적 서술이다.

《이바노프》에 등장하는 모든 인물들을 포괄하는 최고의 개념(최고의 제2실체)은 "실패"이다. 그리고 나는 이 실패들 가운데에서 "시인의 실패"를 다루려고 한다. 이 실패는 실체와 비실체만큼이나 본질적으로 다르며 구분되어야 하기 때문이다. 아리스토텔레스적으로 써보자면 "하나"와 "존재"에 해당하는 최고의 개념인 "실패"로부터, 둘인 긍정과 부정의 종차(동일성과 타자성)에 해당하는 "시인"과 "비시인"이라는 한정 수식어에 의해서(수식어는 중요한 것이다. 실제로 종분화를 시키는 원리가 수식이기 때문이다.) 최고의 종들을 발생시키고(물론 아리스토텔레스는 존재와 하나를 최고유로써 인정하지 않고 제1실체에게 돌리지만, 나는 여기에서 일반적인 철학을 목표로 하는 것이 아닌 시적 철학, 즉 시인들을 구제하는 것만을 목표로 하고 있다. 철학은 나에게 목적이 아닌 도구일 뿐이다.), 그 가운데에서도 긍정의 종차에 의해서 분화되는 종인 "시인의 실패"에 대해서 살펴보려는 것이다. 비시인들의 실패는 너무나도 일상적이어서 그것을 이해하지 못하는 이들이 존재하지 않기 때문이다. 누구도 이바노프의 죽음을 이해하지 못했다는 것은 <<이바노프>>가 체호프의 최고의 작품들 가운데 포함되었다는 말을 내가 들어본 적이 없음이 증명한다.

<<이바노프>>는 부정성으로 넘쳐나는 작품이다. 그 이유는 <<이바노프>>의 모든 인물들을 포괄하는 제1의 개념이 실패이기 때문이다. 즉, <<이바노프>>의 모든 인물들은 실패자들인 것이다. 하지만 내가 지적하고 싶은 점은 그 누구도 주인공 이바노프의 부정성, 즉 그의 실패를 이해하지 못하고 있다는 것이다. 이는 마치 실체와 비실체 사이의 절대적인 간극을 상징하는 것과도 같다 할 것이다. 그리고 뿐만 아니라, 이바노프 자신도 자신의 부정성을 이해하지 못해 극 속에서 고통 가운데에 있다. 즉, 비실체와 실체 사이에는 절대적인 간극이 있어서 이해가 불가능하다고 하더라도, 실체 자신조차도 자신의 부정성, 즉 자신의 실패를 이해하지 못하고 있는 것이다. 그리고 후자의 사실이 이바노프의 고통의 본질적인 원인 가운데 한 가지 측면을 구성한다.

나는 이 글에서 이바노프의 실패에 대한, 즉 그의 부정성에 대한 주변인물들과 이바노프 본인의 그 결과에 대한 놀라움(원인을 모름)을 ㄱ. 원인에 대한 앎에서 오는 놀라움으로 이행시키려 한다.

2) Made the small slam

시인을 아리스토텔레스적으로 정의하자면, <"실천될 수 없는 선"을 욕구하는 신체를 가진 동물>이다. 신체를 가진 동물은 유한한 존재이며, 실천될 수 없는 선은 무한한 것이며, 이때의 욕구는 유한성과 무한성 사이의 그 도달 불가능성에 의해서 정의된다는 측면에서 시적인 것이다. 시인은 그의 영혼론의 논의를 벗어나 있는 존재이기에 그에게는 운동의 불연속성이 개입해 있는 것이며, 이 질적인 불연속성이 바로 시인의 절망의 필연성이 될 수밖에 없는 것이다. 즉, 시인의 제1의 징표는 절망인 것이며, 그의 영혼은 불가능성에 의해서 정의된다는 점에 있어서 결코 일반적인 것이 아니다. 과연 이 세상에 시인이 한줌이라도 된다는 말인가...

즉, 시인은 무한한 것인 시적이념을 지향하는 유한한 존재인 것이다. 그리고 비시인은 유한한 것을 지향하는 유한한 존재인 것이다. 따라서 비시인들에게 실패는 우연한 것일 뿐인 반면, 시인에게 실패는 필연적인 것이다. 이때의 무한성을 신으로 대체한다면 시인들이 왜 종교적인 존재들일 수밖에 없는지 알 수 있을 것이다.

이렇듯 시인의 본질적인 사랑의 대상은 무한성 그 자체인 시적이념이다. 따라서 이바노프의 곁에 있는 두 여자들은 그의 본질적인 사랑의 대상이 아닌, 그에게 있어서는 부수적인 사랑의 대상일 수밖에 없는 것이다. 하지만 이바노프는 자신의 본질적인 사랑의 대상이 시적이념이며, 그 시적이념의 무한한 요구를 짊어지다 자신의 등이 그의 일꾼이었던 세묜처럼 부러져버린 것을 알지 못하고 있다. 그리고 이러한 부러짐의 상태, 즉 파멸의 상태가 절망이라고 불린다는 것 또한 알지 못하고 있다.

다시 말하자면, 이바노프는 자신의 진정한 사랑의 대상을 인식하지 못하고 있다. 그리고 그렇기에 그 본질적인 사랑에 있어서 지금 실패하고 절망하고 있다는 사실도 깨닫지 못하고 있는 것이다. 즉, 그는 자신이 시인이며, 시적이념에 대한 본질적인 사랑이 주는 그 무한한 짐의 무게에 허리가 이미 꺾여버린 존재라는 것을 인식하지 못하고 있다는 말이다. 시적인식은 그렇게나 불가능한 것이기에 그는 절망하고 녹초가 되어버린 것이다. 그리고 이렇게 본질적인 사랑에 실패한 시인이기에 그는 안나와 사샤와의 부수적인 사랑에서도 실패할 수밖에 없는 것이다. 본질적인 그 불가능한 사랑에 있어서의 실패의 결과인 절망이 끊임없이 그의 전존재를 휘어잡고 있기 때문이다. 이때의 절망은 유한성이 자신의 지향대상이 무한한 것임을, 즉 도달 불가능한 것임을 뼈저리게 깨달은 상태라고 할 수 있을 것이다.

안나와의 부수적인 사랑이 이바노프가 자신의 유한성의 한계에 이르기 전까지의 그 시적이념의 본성에 대한 아무것도 모르는 열정적인 지향성(사랑)이 원인이 되어서 안나의 매혹이 결과되었기에 발생한 것이라면; 사샤와의 부수적인 사랑은 자신의 유한성의 한계에 봉착해서 절망한 시인의 모습이 어떤 영웅적인 행동을 한(무한을 추구하는 유한의 행동이 어찌 영웅적이 아닐 수 있다는 말인가...) 이후의 시인의 모습으로서 그것이 원인이 되어서 사샤의 매혹이 결과되었기 때문에 발생한 것이다. 그리고 이바노프 본인도 자신의 본질적인 사랑의 대상을 깨닫지 못하고 있기에 이들을 사랑하고 사랑했던 것으로 착각한다. 하지만 이들이 그의 사랑의 본질적인 대상이 아님은 그가 절망으로부터 이들에 의해서 구원받지 못하고 결국 자살로 자신의 생을 마감한다는 사실이 증명하는 바이다.

그리고 이바노프는 사실상 자신의 본질적인 사랑의 대상이 그들이 아님을 무의식적으로 알고 있는 것이다. 이는 그가 이들의 사랑을 받아들이는 것을 "독버섯을 먹는 것"이라고 표현하고 있다는 점이 지시하는 바이다. 그에 의해 이야기 된 독버섯을 먹는 것은 진정한 사랑의 대상을 깨닫지 못한 채, 사랑으로 보이는 것을 받아들이는 것을 의미한다. 그리고 이것이 독버섯을 먹는 것인 이유는 자신뿐만이 아닌 자신을 사랑하는 사람의 파멸까지도 함께 목도해야만 하기 때문이다.

즉, 절망한 존재에게 이 세상에서 쉴 곳은 어디에도 없는 것이며, 그는 이 세계 가운데에서 단지 자신을 끊임없이 덮쳐오는 절망 가운데에서 허우적거리고 있을 뿐인 것이며, 그가 부수적인 사랑을 받아들인다면 결국 그 여자들도 그의 부정성에 노출됨으로써 그에 영향을 받을 수밖에 없는 것이며 결국 이는 그들에게도 불행이 전염된다는 것을 의미하는 것이다. 이바노프가 최후에 자살을 한 것은 구원이 불가능한 자신의 삶을 끝장낸다는 측면이 본질적인 것이지만, 이로써 한 여성(사샤)을 부정성의 바다로부터 구원한다는 부수적인 의미도 있는 것이다.

이바노프는 남들과 다르게 삶을 살아왔다고 고백하고 있으며, 그 모든 것이 자신에게 짐이 되었다고 말한다. 이때의 남들과 다른 삶이란 시인이 일반적인 존재가 아니라는 진술과 합치하며, 그가 고백하고 있는 자신의 짐의 목록들은 사실상 내용이 중요한 것이 아니며 그 본질은 그 과도함, 즉 무한한 요구를 상징한다는 데에 있는 것이다. 시인은 불가능한 인식을 지향하는 존재이기에 불가능한 것을 요구받으며 따라서 유한한 본성의 시인은 결과적으로 필연적인 절망에 빠질 수밖에 없는 것이다. 즉, 나는 여기에서 일반적인 존재론을 펴는 것이 전혀 아니며, 극단적으로 특수한 존재론을 말하는 것이다. 나는 일반론에는 관심이 없다. 일반론은 이미 모두에게 다 알려져 있기 때문이다.

체호프가 이바노프를 비유한 인물들 가운데 햄릿은 주목해 볼 필요가 있다. 나를 휘어잡고 있는 시적이념은 나에게 이제 이바노프가 자신을 비유한 존재들 가운데에서 햄릿을 읽고 그에 대해 쓸 것을 요구하고 있지만, 나는 이를 거부하며, 단지 "절망한 사람은 사느냐 죽느냐의 문제의 중심에 있는 사람이다"라고 말하는 것으로 그치려 한다. 나의 유한성이 이 정도에서 만족하라고 나에게 말하고 있기 때문이다.

시인은 무한한 것을 추구하기에 무한한 것을 요구받으며 이는 자신의 유한한 한계를 무한히 뛰어넘을 것을 요구받는다는 것에 다름 아니다. 하지만 유한성은 무한성과는 전혀 다른 것이기에 유한성이 자신의 한계를 뛰어넘는 데에는 또한 한계가 있을 수밖에 없는 것이고, 따라서 시인은 자신이 원하는 것이, 자신이 사랑하는 대상이, 결코 도달할 수 없는 영역에 있는 존재임을 뼈저리게 깨닫는 절망의 상태에 도달하게 되는 것이다. (이바노프에게서 절망을 제거한다면 그는 곧장 존재하지 않는 것이 되어버리기에 절망은 시인의 본질적인 징표라고 볼 수밖에 없다.) 그리고 이 절망의 자리가 바로, 사느냐 죽느냐의 문제의 한가운데인, 햄릿의 자리에 해당하는 것이다.

그렇게 햄릿과 마찬가지로 이바노프 또한 자살로 생을 마감하게 된다. 시적이념에 대한 이바노프의 본질적인 사랑은 그의 삶을 모두 삼켜버리고 나서는 그것도 모자라서 그의 생명마저도 결국에는 파괴해버리고 만다. 그렇기 때문에 나는 시적이념을 절대악이라고 정의하는 것이며, 미래의 시인들을 구원하는 것을 나의 사명으로 삼은 것이다. 즉, 이바노프의 본질적인 사랑은 저주할 수밖에 없는 본성을 가지고 있어서 이바노프의 삶을 통째로 삼켜버린 것이다. 그렇다면 이바노프는 왜 햄릿의 자리에서 자살을 선택할 수밖에 없었는가.

책을 읽어보면 그는 끊임없이 자신을 저주하고 있다. 그리고 이러한 저주는 시적이념에 대한 지향성의 본성, 즉 무한한 짐을 지기를 요구한다는 그 본성을 몰랐을 때의 시인의, 그 무지에서 기인하는 불길과도 같은 열정에 가득 차 있던 모습에; 현재의 절망, 즉 시적이념이 결코 도달할 수 없는 지점에 있는 최고의 여성임에 대한 깨달음의 한가운데에 있는 자신의 모습을 대어보면서 그 극단적인 차이를 인식하는 데에서 기인하는 것이다. 즉, 그는 이전의 정력적이었던 자신의 모습에 현재의 무기력함을 대어보면서 현재의 자신을 무한히 증오하고 있는 것이다. 그리고 이바노프는 절망이 번아웃과는 전혀 다른 것임을 깨달음으로써 결과적으로 자살로 이어지는 것이다. 즉, 그는 번아웃은 회복의 가능성이 있지만, 절망은 그 가능성이 부재하는 것임을 깨달은 것이다. 시적이념은 유한성에게는 결코 인식할 수 없는 것이기 때문이다.

또한 이렇듯 에너지의 관점에서도 살펴볼 수 있을 것이다. 이바노프는 시적이념이 지우는 무한한 짐을 그의 유한성의 한계까지 짊어지다가 삶을 살아갈 에너지까지도 다 그리로 전용함으로써 결과적으로 삶을 더 이상 살아갈 수 없게 된 것으로 말이다. 이러한, 삶을 살아가는 가장 기초적인 에너지까지도 자신에게 내어줄 것을 요구한다는 것이 최고의 여자가 최고의 악 그 자체임을 또한 증명하는 바인 것이다. 이바노프가 시적이념의 무한한 요구를 등에 지기 위해서 어느 정도의 삶의 에너지를 끌어다 쓴 것인지는 그의 삶의 일면만 보아도 알 수 있다. 그는 자신의 영지관리인에 의해서 퍼지고 있는 터무니없는 헛소문들에도 그 어떠한 대처도 하지 못하고 있는 것이며, 영지는 저당잡힌 것이다. 즉, 그는 삶이 그에게 제시하는 문제들에 대처할 에너지까지 그 저주받을 짐을 짊어지는 데에 끌어다 쓴 것이며, 따라서 이제 그에게는 말 그대로 생명유지의 에너지만이 남아있는 상태라고 볼 수 있을 것이다. 그리고 마지막으로 자신의 젊음이 돌아오는 것을 느끼며 자신의 그 마지막 남은 생명유지의 에너지를 끌어다 자신의 삶을 끝장내는 데에 쓴 것이다.

이제까지 보았겠지만 시인은 결코 일반적인 존재가 아닌 것이며, 그는 극단적으로 예외적인 존재인 것이다. 그렇기에 그는, 이바노프가 그의 주변인들에 의해서 그들의 인식의 한계 내에서 결코 이해받지 못했던 것처럼, 세상 가운데에서 결코 이해받지 못하는 존재일 수밖에 없는 것이다. 이는 시인에게 친구가 있을 수 없다는 사실이 증명하는 바이다. 그는 일반적인 관점으로는 이해받을 수 없는 존재이기 때문이다. 그렇다면, 정녕 시인에게는 구원이 있을 수 없다는 말인가?

Epilogue: 사실 이바노프는 마지막에 가서는 자신의 현상태가 완전히 파멸된 상태라는 것(비록 그것이 절망이라고 불린다는 사실은 알지 못하지만)과 그 원인이 자신의 한계를 넘어선 짐을 등에 지어서임을 이해하고 있다. 다만, 나는 글의 구조상 그가 자신에 대해서 끝까지 이해하지 못한 것으로 말한 것임을 밝혀두는 바이다(<<이바노프>>는 그 자체로 완전성이 있는 작품인 것이다). 절망한 시적인 존재의 모습이 궁금하다면 <<이바노프>>를 읽어보면 될 일이다. 거기에는 그에 대한 진술들이 넘쳐나는데 그 모든 것들이 다 결과적인 절망상태에 대한 놀라움의 진술들이기 때문이다. 그리고 이러한 시적인 존재의 절망의 원인에 대한 설명을 나는 충분히 한 것으로 이해한다.

"Ηλι ηλι λεμα σαβαχθανι"

(3) 시적 윤리론: 예수에 대하여(어떻게 시인을 죽음으로부터 구원할 수 있을까?).

나는 시적이념을 "비밀 그 자체"로 정의한다. 그리고 시인을 "비밀의 폭로자"로 정의한다. 또한 시적이념을 "(유한성에게) 도달 불가능하고, 인식 불가능한 것"으로, 즉 <"진정으로" 무한한 것>으로 정의한다. 즉, 나는 불연속성을 시인과 신의 관계의 본질로 정의하기를 원하는 것이다. 시인은 시적이념을 인식해서 그것을 폭로하려고 하지만 진정으로 무한한 것인 비밀 그 자체는 유한한 존재인 시인에게 도달할 수 없는 것이어서 그는 그것을 인식할 수 없고 따라서 필연적으로 절망할 수밖에 없는 것이다.

우리는 시인 예수에 대해서 살펴볼 필요가 있다. 그는, 이바노프가 시인(신실한 예외적 존재)의 스펙트럼의 한 극단에 자리하고 있는 것과 같이, 그것의 나머지 한 극단의 자리를 차지하기 때문이다. 즉, 이바노프는 절망에서 벗어나지 못한, 즉 시인의 영역에 진입하지 못한 시적 유한성의 전형이며, 예수는 절망이라는 시인의 영역의(신실한 비일상의 세계의) 문지방을 넘어선 이후에 자신의 유한성이 허락하는 최대치의 시적이념의 실현을 이루어낸 시인의 전형인 것이다.

시적 유한성은 가능적인 시인인 것이며, 절망을 넘어선 시적 유한성만이 비로소 현실적인 시인이 되는 것이다. 즉, 가능적 시인이 자신의 작품을 생산해내기 위해서는 이바노프의 단계를 넘어서야만이 가능한 것이며, 그 시인의 추구가 예수라는 극에 이르면 시적이념이 해당 시인의 유한성을 매개로, 그 유한성의 극한으로 현실적으로 폭로되는 것이다. 즉, 시인은 작품을 남기기 위해서 자살을 극복해야 하며, 최고의 시인의 징표는 타살이라는 뜻일 수 있겠다. 하지만 나는 이러한 죽음들이 견딜 수 없는 것이다.

예수의 사랑은 완전한 것으로 인정받고 있다. 하지만 나는 그의 사랑도 비밀 그 자체를 완전히 드러낸 것으로는 이해하지 않는다. 그가 비밀 그 자체를 완전히 현실화했다면, 그 이후에는 시인이 존재할 수 없을 것이기 때문이다. (나는 비밀 그 자체를 완전하게 현실화시켜서, 현실세계와 추상세계를 비롯한 가능한 모든 세계에서 그 어떤 비밀의 존재도 불가능하게 만드는 것이 어떻게 가능할 것인지 알 수 없다. 그리고 나는 내용적으로 무한한 비밀 그 자체로부터 파생된 이러한 질문도 내용적으로 무한한 것에 포함시킬 수 있다고 생각한다. 또한 이러한 비밀의 현실화는 비밀이 드러나는 방식으로 현실화되는 것이라는 점에서 일반적인 현실화와는 다른 시적 현실화라고 부를 수 있다 하겠다. 또한 대상의 비밀의 "완전한" 현실화는 해당 대상의 죽음을 의미한다. 이는 Sigur Ros라는 밴드가 포스트락이라는 장르가 가진 그 모든 가능성을 완전하게 자신들의 음악 안에 현실화시켰기에 결국 해당 장르가 죽음을 맞은 것과 같은 이치인 것이다. 그리고 이러한 비밀의 존재방식은 일반적인 것이 아니기에 시적인 것이라 하겠다.) 따라서 그 또한 결국 시적이념의 무한한 요구에 직면해서 자신만의 유한성의 최대치를 실현한 것인데 그 최대치가 유한성이 일반적으로 도달할 수 있는 한계로부터 극단적으로 먼 것이기에 일반인들에게는 그것이 무한한 것으로 "보이는 것"일 뿐인 것이다. 즉, 그는 신으로 "일반인들에게" 보이는 것일 뿐이며 그렇기에 "신적인" 것일 뿐, "진정한" 신일 수는 없는 것이다. 이렇다고 했을 때, 결국 시적이념의 무한성은 절대적인 것이자 근원적인 것임이 분명하다. 그리고 그렇기 때문에 모든 시인에게 실패 또한 절대적인 것이다. 그리고 이렇듯 근원적인 무한을 향해 자신의 전존재를 내던지고 있는 것이기에 유한성을 추구하는 유한성, 즉 일상성에게 그들은 견딜 수 없는 존재가 될 수밖에 없는 것이다. 그들은 자신들을 상대적으로 무한에 "가깝게" 열등하게 느끼게 만드는 존재일 수밖에 없기 때문이다. 그리고 그렇기 때문에 그들은 예수도 죽이지 않고는 견딜 수 없었던 것이다. 시인이 일반인들로부터, 그리고 무엇보다도 철학자들로부터 벗어나려는 데에는 다 이유가 있는 것이다. 다시 말하지만, 예수는 시인이며 그가 부르는 아버지는 시적이념에 비유적으로 해당할 수 있을 것이다. 예수도 시적이념의 그 무한한 요구(전 인류를 구원하라는 그 무한한 짐)에 압도되어서 왜 자신을 일반인들의 영역으로부터 그 바깥으로 버린 것인지를 원망하고 있기 때문이다. 그리고 정확히는 그는 예외적인 세계에서도 다시 한번 버려져있는 것이기에 아버지로부터 두 번 버림받은 존재인 것이다. 신실한 존재, 즉 종교적인 존재, 즉 시인은 비열한 존재와 구분되어야 하기 때문이다. 즉, 비일상적인 존재들 가운데에서 신실한 존재와 비열한 존재는, 즉 시인과 철학자는 극명하게 구분되어야만 하는 것이다. 물론 이때의 아버지는 시적이념 그 자체는 아니며, 그것의 비유일 뿐인 것이다. 그것은 이미 종교적인 영역에 갇힌 제한된 무한이기 때문이다. 하지만 이러한 아버지와 예수 사이에 성립하는 구조를, 즉 신과 신"적인" 존재 사이에 성립하는 구조를 나는 시적이념과 시인의 관계를 상징하는 것으로 볼 수 있다고 생각한다.

나는 시인의 지향대상은 결코 유한한 무한일 수 없다고 생각한다. 시인이 일반인과 그리고 무엇보다도 철학자와 구분되는 지점은 그가 진정으로 무한한 것에게 철저하게 사로잡힌 채로 자신의 전존재를 그것에게 희생제물로서 바치고 있다는 점에 있기 때문이다. 시적 종교성은 오직 시인 자신에 의한 그 자신의 희생에 의해서만 성립한다. 즉, 시인은 자신이 직접 희생제물로서의 자신을 피흘리게 해야만 하는 것이며, 이러한 시적희생은 절대로 대체될 수 없는 것이다. 이것이 바로 시적이념이 요구하는 전부이기 때문이다. 그것은 시인 자신 이외의 그 무엇도 희생시키기를 원하지 않는 것이며, 시인의 전존재를 요구함으로써 시인을 철저하게 파멸시키는 것이다. 시인이 어찌 근원적인 종교성과 분리될 수 있다는 말인가. 시인에게서 어찌 피냄새가 나지 않을 수 있다는 말인가. 그리고 이러한 사실이 왜 시인에게는 자신의 시가 한없이 부족해 보일 수밖에 없는지를 설명해준다. 비록 그것이 일반인들에게 무한한 것으로 보일지라도 말이다. 그리고 그렇기에 시인의 종교성은 "시적 종교성"이라는 이름으로 일반적인 종교성, 그리고 철학적인 종교성과 철저히 분리되어야 하는 것이다. 자기 자신을 희생하지 않고 말해지는 종교성은 거짓일 뿐이기 때문이다. 즉, 일반적인 종교성은 자기희생을 알지 못하며, 철학적인 종교성은 자기희생인 듯 보이는 것일 뿐이며, 시적 종교성만이 진정한 자기희생의 유일한 안식처로 예수가 자리하는 지점이기 때문이다. 즉, 일반인은 유한성을 추구하는 유한성이며, 철학자는 무한해 "보이는" 것을 추구하는 유한성이며, 시인만이 진정으로 무한한 것을 추구하는 유한성으로 정의되기 때문이다. 즉, 비일상적 세계는 철학자들과 시인의 세계인데 양자는 절대적으로 구분되어야만 하는 것이며, 진정한 자기희생의 극한값의 자리, 즉 최고의 시인의 자리에 예수가 존재하는 것이다.

나는 시인들이 작품의 생산에 도달하는 방식을 신실한 것으로 정의하며, 이를 철학의 비열한 방식과 구분하려 한다. 시인보다 철학의 적인 존재가 어디에 있다는 말인가. 즉, 누가 시인보다 철학의 본질을 더 잘 알고 있다는 말인가. 철학의 본질이 내용에 있는 것이 아닌, 그 방식에 있다는 것을 말이다. 이렇듯 나는 일반인들이 철학을 읽을 때 본질적으로 느끼게 되는 감각적인 거부감이 철학의 본질과 아주 맞닿아 있다고 생각하는 것이다. 그들은 본성적으로 분명할 수밖에 없는 것을 의도적으로 불분명하게 만드는 사람들이기 때문이다(플라톤과 아리스토텔레스의 "무한해 보임"은 사실상 그들의 글쓰기 방식의 극단적인 붉친절성에서 기인하는 것이기 때문에 나는 이들이 무한에 다가가는 방식을 비열하다고 말하는 것이다. 따라서 나는 일반적인 철학의 글쓰기 방식을 좋아할 수 없는 것이다. 그것이 그 뿌리에서부터, 내용 그 자체의 무한성이 아닌, 방식, 즉 말해져야만 하는 것들을 당연한 것으로 생략하는 그 방식에 의해서 "무한해 보이게 됨"으로써 "무한해 보이는" 생명력을 얻고 있기 때문이다. 나는 그들의 주장이 그 본질까지 도달했을 때, 그 자체의 내용에 의해서 이해불가능한 것이라고는 전혀 생각하지 않는다. 다만 그들이 자신들의 본질적인 주장에 도달하는 것을 "불가능해 보이게" 만드는 방식으로 글을 썼기 때문에 결과적으로 그것들에 도달하기가 "불가능해 보이게 된" 것일 뿐인 것이다. 그렇기 때문에 나는 그들이 본질적으로 무한하지 않은 것을 수단에 의해서 무한하게 보이게 만드는 것일 뿐이라고 말하고 있는 것이다. 그리고 그렇기 때문에 나는 이들에 뿌리를 둔 철학적인 글쓰기 방식을 혐오하는 것이다. 플라톤과 아리스토텔레스를 진지하게 읽으면서 그들을 혐오하지 않는 것은 본질적으로 불가능한 것이라고 나는 생각하는 것이다. 비열한 행위를 당하는 것에 본능적인 혐오감이 따르는 것은 당연하기 때문이다). 즉, 시인의 창조는 비밀을 현실화하지만, 후자는 본성적으로 비밀일 수 없는 것을 비밀로 인위적으로 만들어낸다. 이 철학에 의해 창조된 비밀은 진정한 비밀의 거짓된 모사품일 뿐이기 때문에 열등하다고 말할 수 있을 것이다. 철학이 계속될수록 정확히 더 거짓된 것들이 만들어지는 구조로서, 고대에 자신들을 진정한 철학자입네 했던 자들의 시와 시인에 대한 비판은 시적이념의 토대 위에서 정확히 그들 자신에게 돌려진다(고대에 스스로를 진정한 철학자라고 여겼던 이들은 자신들을 소피스트들과 구분하면서 그들에게 이와 비슷한 비판을 했지만, 이는 사실상 철학 그 자체에 대한 비판으로 읽혀야 한다고 나는 생각한다). 그리고 이는 정확히 철학자의 비열함과 연관된다. 또한 그것은 비밀이 현실화되는 본질적인 구조에 정확히 역행하는 것이다. 나는 플라톤도 아리스토텔레스도 본질적으로는 철학자가 아닌 시인일 수밖에 없다고 생각한다. 그들은 본질적으로 자신들을 놀라게 한 비밀들(결과적 세계를 만들어낸 원인들)의 폭로자들이기 때문이다. 나는 다만 그들이 쓴 시에서 철학인 지점들이-사실상 그들의 글에서는 철학이 스며들어있지 않은 지점들을 찾아내는 것이 더 어려울 만큼 그것이 깊게 그들의 시에 스며들어 있는 것이다-역겹다고 생각하는 것이다. 비열함에 대한 본성적인 반응이 그것이기 때문이다. 그렇다면 그들은 자신들의 시를 왜 철학으로 오염시킨 것일까? 이는 그들에게 시적이념에 대한, 즉 비밀 그 자체에 대한 모방욕망이 있었기 때문인 것으로 나는 생각한다. 즉, 이들은 비밀이 되는 것이 생명력의 본질이라는 점을 본능적으로 파악하고 있었던 것이다. 따라서 영원에 "가까운" 비밀이 된다면 영원에 "가까운" 생명력을 가지게 된다는 것은 자연스러운 결과이기 때문이다. 즉, 단물이 영원에 "가깝게" 빠지지 않아야 영원에 "가깝게" 씹을 수 있는 껌이 된다는 사실을 본능적으로 이해하고 있었던 것으로 나는 생각한다. 그렇기 때문에 이들은 비밀 그 자체의 그 무한한 생명력에 대한 동경으로 그것을 자신의 작품안에 비열한 방식으로 모사해낸 것이다.

철학자에 대해서 다른 관점에서도 한번 말해보자. 시인은 종교적인 존재이며 결코 자신이 시적이념을 완전히 현실화할 수 없는 유한한 존재라는 것을 뼈저리게 알고 있다. 따라서 시인은 절망하지만 철학자는 절망하지 않는다. 그리고 절망만이 시인의, 즉 진정한 무한 앞에 선, 자신의 유한성을 인정하는 존재의 증거이다. 그리고 철학자가 절망하지 않는다는 사실이 그들이 추구하는 무한이 진정한 무한일 수 없음의 증거라고 나는 생각한다. 그리고 이는 정확히 그들의 오만함과 연관된다. 즉, 그들은 진정한 무한이 아닌 무한해 보이는 것에 대한 일정한 이해에 도달한 자들인 것이다. 그렇기에 그들 가운데에는 자신이 마치 무한에 닿아있는 것처럼, 모든 것을 내려다보고 있다는 듯이, 오만하게 말하는 자가 보이기도 하는 것이다. 하지만 시인은 결코 자신이 추구하는 것에 도달할 수 없다. 이는 절대적인 진리이다. 그는 무한해 보이는 것이 아닌 신성한 무한을 자신이 추구하고 있음을 뼈저리게 자각하고 있기 때문이다.

최고의 시인도 그의 삶이라는 시 가운데에서 완전히 현실화하지 못한 것, 최고의 신실함으로도 완전히 폭로할 수 없는 것, 그것이 시적이념의 본성이다. 다시 말하자면, 예수의 "다 이루었다"는 말은 자신의 유한성 안에서 할 수 있는 극한을 다 했다는 말인 것이지, 아버지가 지시하는 진정한 대상을 완전히 이 세계에 자신의 삶을 통해서 폭로한 것으로 이해하면 안 된다는 말이다. 즉, 시적 유한성은 그것을 완전히 폭로하는 것을 목표로 하지만 결과적으로는, 예수가 종교라는 제한된 범위에서 그것을 폭로한 것과 같이, 자신의 유한성의 한계 내에서, 그 유한성의 특이성 내에서, 그것을 제한적으로 현실화할 수 있을 뿐이라는 것이다. 아니, 더 정확히 말하자면, 시적 유한성은 진실한 무한을 완전히 이 세계에 폭로하기를 원하며 그럴 수 있다고 생각하는 존재이다. 즉, 자신의 유한성을 진정으로 자각하지 못한 미숙한 존재인 것이며, 따라서 결과적으로 그 불가능성을 자각하는 절망에 직면하게 되는 것이다. 그리고 절망을 넘어선 가능적 시인만이 현실적인 시인의 이름을 획득하게 되는 것이다. 따라서 일반적인 현실적 시인은 진정한 무한의 추구의 불가능성의 자각을(즉, 절망을) 극복한 존재이기에, 즉 자살로부터 우연하게 살아돌아온 존재인 것이기에, 그것을 일반적으로는 더 이상 추구하지 않는 존재로 변모하게 되는 것이다. 그것이 절대선이 아닌 자신의 삶을 그 뿌리에 있어서까지 파괴하는 절대악임을 자각한 이후의 삶이기 때문이다. 그리고 이러한 관점에서 예수의 특이점이 다시 말해질 수 있는 것이다. 즉, 그의 특이점은 그가 절망을 넘어선 이후에도 시인이 되기 전의 그 불가능한 추구를 놓아버리지 않았다는 데에 있는 것이다. 즉, 그는 자신의 추구가 실현 불가능한 것임을 깨달은 이후에도 그 불가능한 추구를 놓지 않고 그것을 극한까지 밀어붙인 존재인 것이다. 그리고 그렇기에 그는 신이 된 것이라고 볼 수도 있을 것이다. 즉, 예수는 최고의 시인이며, 이바노프가 절망한 시적 유한성의 전형이 되는 것과 마찬가지로, 시인이 자신의 추구를 극한까지 밀어붙였을 때의 결과의 전형이 되는 것이다. 즉, 그는 시인이 된 이후에도(즉, 절망을 극복한 이후에도) 시인이 되기 이전의(즉, 어린아이의) 마음을 그대로 가지고 있었던 것이다. 하지만 앞서도 말했듯이 여기에서 주목해야 할 점은 그러한 극한의 추구에 있어서도 시적이념이 완전하게 현실화되지, 폭로되지 못했다는 사실에 있다. 그 이후에도 시들이 존재하기 때문이다. 그 이후에는 시가 존재하지 않는다고 말하는 사람들이 있다면 그들은 시의 본질을 제대로 이해하지 못하고 있다고 나는 생각하는 것이다(시와 일반적인 세계에 있어서의 시로 불리는 것의 구분보다는 시와 철학 사이의 구분이 더 본질적인 것이라고 나는 생각한다). 예수는 신이 되었다는 관점에서는 성공했지만, 삶의 관점에서는 실패한 것이다. 누가 타인들에 의해서 살해되는 삶을 살기를 원하겠는가. 그의 삶을 본질적으로 정의하는 것은 무한한 시적이념의 요구라는 짐을 극한까지 짊어짐으로써 발생하는 극한의 고통이다. 즉, 시인의 삶은 본질적으로 고통에 의해서만이 정의될 수 있는 것이다. 그는 자신의 한계를 무한히 넘어설 것을 신으로부터 요구받고 있는 것이기 때문이다. 그의 삶이 고통에 의해서만이 정의될 수 있는 것이기에, 즉 자신의 삶이 부정성에 의해서만이 정의되는 것임을 시인은 알기에, 그보다 더 평범성의 세계, 일상적인 존재를 동경하는 사람도 없는 것이다. 일상적인 세계는 무한한 고통이 부재하는 세계이기 때문이다. 부정성의 제거는 선이기 때문이다. 플라톤은 이데아의 세계를 본 사람은 다시 사람들을 구원하기 위해서 그림자의 세계로 내려온다고 했다고 나는 어디선가 들은 적이 있는데 이는 정말로 말도 안되는 소리이다. 시적이념을 본 사람이 만약 존재할 수 있다면, 그는 그 과정에 수반될 수밖에 없는 그 무한한 고통이라는 부정성을 뼈저리게 알고 있는 존재이기에 그가 다시 그림자의 세계로 내려온다면 그는 그들을 위로 올라가게 만드는 것이 아닌, 그 상승과정의 무한한 부성성(고통)으로부터 자유로운 그림자의 세계의, 일상의 세계의 상대적인 무한한 긍정성을 설파할 것이 분명하기 때문이다. 시적이념은 무한한 상승을 요구하는데 유한한 존재 가운데 이를 견뎌낼 수 있는 존재가 있을리 만무하기 때문이다. 이러한데도 불구하고 그가 시적이념을 지향하기를 사람들에게 설파하고 다닌다면 그는 더없이 저주받아야만 할 존재임이 분명하다. 그의 본 모습은 모든 사람을 파멸로 이끄는 죽음의 사자임이 분명하기 때문이다. 만약 플라톤이 말한 이데아가 시적이념처럼 진정으로 무한한 것이라면 말이다. 따라서 그가 말하는 무한과 내가 말하는 무한이 같지 않음은 분명하다. 즉, 그는 진정한 무한성에 대해서는 아무것도 모르고 있는 것이다. 나는 본질적으로 분명한 것을 모호하게 만들기 위해서 글을 쓰는 것이 아닌, 본질적으로 모호한 것을 분명하게 만들기 위해서 글을 쓰고 있는 것이다. 이런 내가 어찌 철학적인 창조를 좋아할 수 있다는 말인가. 따라서 다시 본래의 이야기로 돌아오자면, 예수는 가장 크게(즉, 최고로) 실패한 시인인 것이다. 그는 삶의 관점에서도 실패했을 뿐만 아니라, 시적이념의 완전한 폭로의 관점에서도 실패함으로써 이중으로 실패한 존재이기 때문이다. 즉, 이바노프와 예수 모두 이중의 실패자인 것이다. 누가 자살하는 삶과 살해되는 삶을 살길 원하겠는가. 따라서 시인은 이렇게 다시 정의될 수 있을 것이다. 즉, 그는 시적이념을 (자신의 유한성의 한계 내에서) 그 유한성에 투영된만큼 폭로하는 존재라고 말이다. 따라서 그 어떤 시(시는 본성적으로 신실할 수밖에 없다)도 그 자체로는 자신의 본질적인 지시대상을 결코 드러낼 수 없으며, 모든 시들은 시인의 유한한 눈에 비친 그것의 모습이라는 것이다.

다시 말하자면, 이바노프와 예수는 시적이념에 완전하게 지배된 상태로 시인의 스펙트럼의 양 극단을 구성한다. 전자는 시적이념의 무한한 요구에 완전히 짓눌린 채 자신의 무력함에(유한성에) 절망한 채로 결과적으로 자살로 이어지는 길이며, 후자는 시적이념의 완전한 현실화라는 본질적으로 불가능한 꿈에서 깨어나지 못한 채로 그것에 완전히 사로잡혀 이를 극단까지 추구함으로써 결과적으로 타살로 이어지는 길인 것이다. 시적이념에 지배된 상태는 이렇듯 삶이 부정될 수밖에 없는 것이기에 그 자체로 절대악에 다름 아닌 것이며, 따라서 시인은 양 극단으로부터 멀어짐으로써 중용이라는 최선의 자리를 추구해야만 하는 것이다. 다시 말해, 전자는 무력한 자신을 증오함으로써 자신에 대한 살해로 이어지는 길이며, 후자는 이중으로 예외적인 존재, 즉 종교적인 존재(시인)의 극치에 도달함으로써 일반인들 그리고 무엇보다도 철학자들의 무력감을 불러일으킴으로써 그것이 증오로 이어져 타살로 이어지는 길인 것이다.

이바노프의 지점은 일반성의 한계지점이며, 예수의 지점은 특수성의 한계지점에 해당한다. 그리고 그 사이는 비열함과 신실함에 의해서 구성된다(나는 신실한 예외적 존재를 시인이라 정의하며, 비열한 예외적 존재를 철학자라 정의한다). 따라서 비일상의 세계에도 또다시 존재론적인 불연속성이 존재하게 되는 것이다(비일상의 세계는 일상의 세계와 비실체와 실체처럼 절대적으로 구분되어야만 하는 것이며, 나는 이 비일상의 세계를 아리스토텔레스가 실체를 범주론적으로든 분석론적으로든 둘로 나눈 것처럼 다시 둘로 나누려는 것이며, 이 둘 사이의 구분을 절대적으로 불연속적인 것으로 만들려는 것이다). 그리고 일반성의 세계는 남성과 여성, 즉 격분과 공허 사이의 스펙트럼, 즉 연속성에 의해서 구성된다(남성이 여성이, 그리고 여성이 남성이 될 순 있지만, 이들은 비실체이기에 실체로 변모할 수는 없다. 즉, 성차의 세계와 종교적 세계 사이에는 불연속성이 존재하는 것이며, 나는 이 지점에서 천문학의 결정론을 받아들이는 것이다. 즉, 시인의 가능성은 일정 한도 이상의 정신의 무게에 의해서 결정된다는 말이다. 이때의 정신의 무게란 정신의 능력이 아닌 시적이념에 의해서 요구받는 짐의 무게를 의미한다. 즉, 시인의 존재는 그 고통이 크기에 의해서 결정된다는 말이다. 더 정확히는, 등허리가 부러짐에 의한 고통 가운데에서도 살아남은 정신만이 비로소 시적이라는 이름을 획득하게 된다는 말이다. 즉, 무한한 무게에 의한 중력붕괴 이후에도 자신의 목적을 잃지 않고 살아남은 정신이 곧 시인인 것이다. 물론 이때의 목적의 지향성에는 차등성-예수와 최선의 시인의 차이를 비롯한 차등성-이 발생하게 되지만 말이다. 내가 시인의 입 또는 존재를 검은별에 비유하는 까닭은 이 때문이다. 다시 말하면, 중력붕괴 이후에, 즉 절망을 넘어선 이후에 시인 또는 그의 입은 일상의 세계에 균열을 일으키며 그 세계 밖으로, 즉 예외적인 세계로 나아가는 것이라는 말이다. 그가 이 세계에서 살아가지만 이 세계에 속한 존재가 아니라는 것은 자명한 사실인 것이다[우리 모두는 어떤 시적인 존재의 안에서 태어난 것이다. 즉, 시인들만이 세계를 창조해낼 수 있다는 말인 것이다. 다시 말해, 그는 순간과도 같은 섬광의 삶을 사는 것이며, 그의 안에서 새로운 세상이 태어나는 것이라는 말이다.].). 따라서 가능적인 시인들에게는 이바노프와 예수 사이의, 즉 두 죽음 사이의 스펙트럼이 존재하게 되는 것이다. 이렇게 볼 때, 성차의 세계의 존재는 범주론적으로 말하자면, 제2실체(철학자)가 아닌 본질적인 존재의 담지자인 제1실체(시인)에 의해서 지탱된다고 볼 수 있을 것이며, 또한 제1실체의 제1실체를 찾는 분석론의 논리로 말하자면, 질료(철학자)가 아닌 형상(시인)에 의해서 지탱된다고 볼 수 있을 것이다. 그리고 키에르케고르가 남성적 절망과 여성적 절망을 넘어서(즉, 일상적 절망을 넘어서), 성차가 무의미한 종교적 절망으로(시적 절망으로) 나아갔던 것처럼, 나는 현재 시인의 세계의 한가운데에 있는 것이며(나는 일상의 세계도 희극의 세계도 아닌 비극의 세계 한가운데에 있는 것이다), 그 세계 이외의 세계 가운데에서 절망이라는 표현이 쓰이는 것을 거부하고 있는 것이다(시인의 세계는 일종의 무성생식(asexual reproduction)의 세계라고 볼 수도 있을 것이다. 시인 이외의 모든 존재는 그를 이해할 수 없거나, 그의 적이될 수밖에 없기 때문이다. 또한 그는 자신의 작품에 전 존재를 희생하기를 요구받고 있기 때문에 자신의 배우자에 쏟을 에너지가 있을리 만무하기 때문이다. 즉, 시인은 무한한 고통 가운데에서 극소수의 자손(작품)을 만들어내는 예외적인 무성생식을 하는 존재로 볼 수도 있을 것이다. 이 책에서 나의 피와 살이 아닌 부분이 있다는 말인가. 이 비유는 기원을 탐색하는 그의 일면과도 연결되는 것이기에 나에게 만족스러운 것이다.). 절망이라는 표현을 그렇게 넓은 의미로 쓰자면 나는 일반적인 절망과 철학적인 절망을 시적 절망과 절대적으로 구분하기를 원하는 것이다. 그것만이 진정한 절망이기 때문이다(나는 절망, 더 정확히는 절망의 흔적을, 극단적으로 좁은 의미로 사용함으로써 그것을 시인을 구분짓는 흡수선(absorption line)으로 재정의하기를 원하는 것이다. 시인은 절망을 넘어선 존재이기에 나는 절망의 흔적이라는 말을 쓴다.).

지금까지 나는 일반인들의 눈에 무한해 보이는 것, 즉 예외적인 것, 즉 철학과 시의 탄생의 원리를 설명했다. 그리고 양자는 비열함과 신실함에 의해서 불연속적으로 구분되어야만 하는 것이라고 말했다. 또한 일반적인 세계에서의 분별력이란 의식적으로든 무의식적으로든 양자를 대상으로 하는 것이라고 말하는 바이다. 또한 일상의 세계는 근원적으로는 시적 이념에 의해서 그 생명력을 공급받고 있으며, 철학의 세계는 본질적으로 시적 이념을 모방함으로써 그 생명력을 모방하고 있다고 말이다. 그렇다면 이러한 세계관 가운데에서 최고의 시인이 아닌 최선의 시인을 위해 마련된 자리는 어디라는 말인가.

나는 시인들이 이 종교적 세계의 스펙트럼 가운데 양 극단이 아닌 중간에 자리하기를 원한다. 그 자리만이 시인에게 삶을 허락하기 때문이다. 즉, 나는 시인이 살기를 원하는 것이다. 즉, 시인은 최고를 추구해서는 안되며, 양 극단으로부터 멀어지는 방법에 의해서 최선을 추구해야만 하는 것이다. 다시 말해, 시인은 기산과 타산의 중간에 자리해야만 하는 것이다. 최고의 자리에서조차도 본질적으로 시인은 자신의 본래적인 목적을 달성할 수 없으며, 그 목적은 절대적으로 불가능한 것이기 때문이다. 시적 유한성은 진정한 무한을 추구하지만, 자신의 현실적인 극한에 이르러서도 그것을 완전하게 현실화할 수 없다는 것이 절망을 넘어선 시인에게 새로운 비극으로 보인다고 생각할지도 모르겠다. 하지만 절망을 넘어선 신실한 예외적 존재는 일반적으로 그로부터 겸손을 배울 수밖에 없기에, 이러한 사실을 비극으로 여기지 않으며, 단지 중간을 겨냥하게 되는 것이다. 그리고 나는 이러한 절망을 넘어선 시인의 모습을 "윤리적 지향점 이동"이라고 칭하는 것이며, 이렇듯 두 극단으로부터 멀어진 시인에게만이 삶이 허락되는 것이다. 따라서 이러한 시인이야말로 최선의 시인이라 불러야 할 것이다. 나는 시인을 살리기 위해서 글을 쓰고 있는 것이지 그들을 죽이기 위해서 글을 쓰고 있는 것이 아닌 것이다. 즉, 그에게 타살이라는 신이 되는 죽음의 길과 자살이라는 무가 되는 죽음의 길이 아닌, 제3의 길이 있음을 보여주고자 이 책을 쓰고 있는 것이다. 즉, 그는 자신의 등에 끊임없이 실리는 무한한 무게를 자신이 질 수 있는 최대치만을 남기고 능동적으로 계속 덜어내야 하며, 그렇게 자신의 길을 걸어가야 한다. 이 길은 자살과 타살의, 이바노프와 예수 사이의 자리를 향한 시적 중용의 길이다. 그것이 물론 절망을 넘어서야 하는 것이기에 일반적인 중용과도 철학적인 중용과도 차이가 있는 것이지만 말이다. (나의 글을 읽는 미래의 가능적 시인은 이바노프 그리고 예수와 일정 수준 이상의 동일시가 가능할 것이다. 자신의 일부도 그들과 같은 고통에 의해서 구성되어 있기 때문이다. 따라서 고대 그리스의 (비)극의 관람과 같은 교육의 효과가 발생할 수 있을 것이다. 즉, 그들은 나의 인식론에 근거한 그들에 관한 나의 글을 읽으면서 자신과의 동일시에 근거해서 연민과 두려움이 발생할 것이라는 말이다. 자신이 읽고 있는 것이 남의 이야기가 아닌, 바로 자신의 이야기이기 때문에. 그리고 이러한 관객으로서의 그들이 이 책을 다 읽은 이후에, 즉 동일시에서 깨어난 이후에, 즉 카타르시스 이후에, 결과적으로 이들로부터 멀어져야만 한다는 교훈을 얻을 것이라고 나는 생각하는 것이다. 하지만 나는 이것만으로는 부족하다고 생각한다. 나는 이중으로 실패한 시인들뿐만 아니라, 일면적으로만 실패한 최선의 시인에게도 그들이 연민과 두려움을 느끼기를 원하는 것이다. 그의 삶 역시 본질적으로 고통에 의해서만이 정의될 수 있는 것이기 때문이다. 즉, 시인의 삶의 본질은 그 고통에 있는 것이다. 즉, 시적 세계의 전 영역은 모두 악의 이데아에 의해서만이 지배되는 세계인 것이다. 시인이 일반적인 존재가 아닌 까닭은 그가 선의 이데아가 아닌 악의 이데아에의 종속에 의해서만이 설명될 수 있다는 점이 또한 증명하는 바인 것이다. 나는 최선의 시인에 대해서는 많은 말을 하지는 않았지만 그들이 고통에 의해서만 정의될 뿐인 그의 삶 역시 끔찍하게 여기기를 바라며, 따라서 동일시로부터 깨어난 이후에 그것으로부터도 멀어지기를 바라는 것이다. 즉, 나는 그들이 평범성의 세계에 자신들을 속이면서 그냥 속해있기를 원하는 것이다. 즉, 그들이 시인이 아닌 남자와 여자가 되기를 나는 원하는 것이다. 그들이 그로부터 벗어난다면, 그들은 자신의 그 신실한 본성에 따라서 결과적으로 무한한 고통을 짊어져야만 할 수밖에는 없기 때문이다. 나는 이를 진정한 악으로 정의하지 않을 수 없다. 평범성의 세계가 그들에게 어떻게 여겨질지 모르지만, 무한한 악의 제거는 그 자체만으로도 곧 무한한 선 그 자체라는 것을 그들은 알아야만 한다. 즉, 그들이 평범성의 세계에 속해서 살아가는 것만으로도 그들에게는 이미 무한한 이득이 획득된 것이기 때문에 그곳에서의 삶이 아무리 그의 본성에 맞지 않더라도 그러한 껄끄러움은 그가 이미 획득하고 있는 것에 비했을 때 먼지 한톨만도 못한 것임을 그는 알아야만 하는 것이다. 이미 시의 세계를 그 본질까지 경험한 나의 증언을 믿으라. 그 세계는 절대악의 세계이다.)

P.S. 시인에 대한 윤리학에 대한 장이니까 마지막으로 아리스토텔레스의 윤리학에 대한 첨언을 하나 하려고 한다. 그는 인간의 고유하다는 기능인 사고를 인간의 행복과 연관짓는다. 하지만 사실상 인간은 사고의 과정에 있을 때가 인간으로서의 가장 고통스러운 시간들 가운데 하나이다. 즉, 일반적으로 인간은 사고하는 것을 좋아하지 않는다.

그 과정이 고통스럽기 때문이다. 그의 책들을 읽어보면 알겠지만 사실상 그는 전혀 일반적인 사람이라고 할 수 없는 종류의 사람이기에 그의 행복론은 사실상 일반성을 획득하기 어렵다. 일반적으로는 누구도 사고의 고통 속으로 들어가는 것을 사실상 원하지 않으며, 따라서 일반적으로 인간은 습관에 의해서 자동화된 채로 살아가는 것이다. 즉, 그의 행복록은 그 자신에 국한된 행복론인 것이지 일반적인 것일 수 없다는 말이다. 그리고 종의 특수성이라고 보는 것을 행복과 연관짓는 것도 이상하다고 나는 생각한다. 그렇다면 왜 일반적으로 인간은 조금이라도 깊게 사고하고자 한다면 그토록 고통을 느낀다는 말인가. 즉, 인간에게 사고는 본성적인 것이 아닌 것이다. 이렇게 볼 때, 행복론의 본질은 그 일반성에 있는 것이 아니라, 그 개별성에 있는 것이라고 볼 수 있을지도 모르겠다. 그의 문제점은 자신의 개별적인 행복론을 종적인 차원에서 일반적인 것으로 주장하고 있기 때문에 기이하게 여겨지는 것이다. (그는 관조가 고통과 욕망을 수반하지 않는 즐거움이라고 말한다. 하지만 이 역시 지극히 주관적인 진술일 뿐이다. 적어도 일반적인 참은 아니다. 나는 관조보다 고통스러운 활동을 알지 못하며, 그것만큼 욕망으로 점철된 활동도 알지 못하기 때문이다. 그리고 이는 비단 나에게만 해당되는 진술은 아닐 것이라고 생각한다. 그의 저 진술을 보면서 나는 그의 즐거움을 굉장히 기괴하다고 느끼고 있으니까 말이다. 적어도 그의 이러한 진술은 깊이가 확보된 사람에게만, 즉 이해가 가능한 높이에 도달한 사람에게만 참인 진술일 것이다. 하지만 그 깊이에 도달하기 위한 과정은 당연히 고통과 고뇌로 점철된 과정이다. 이러한 그의 주장은 그 자신이 플라톤의 이데아론을 개념의 발생과정인 추상화과정의 망각 위에서 성립하는 이론이라고 비판했던 것과 마찬가지로, 깊이에 도달하기까지의 그 과정에 함축될 수밖에 없는 부정성에 대한 망각 위에서 성립하는 주장이라고 비판받을만 할 것이다.) 사고를 일반적으로 사람들이 괴로워하며 피한다면, 그것을 종적인 특수성과 연관시켜서 피해갈 일은 아닐 것이다. 그의 행복론은

학창시절에 공부를 좋아하는 전국1등이 자신이 공부를 하면서 행복하기 때문에 일반적인 다른 학생들이 공부에서 괴로움을 느끼고 있는데, 그것이 학생의 정의라고 말하면서 학생의 행복은 공부를 하는 것이라고 말하는 것과 같다. 전교1등들 중에서도 공부를 좋아하는 학생이 몇이나 된다는 말인가. 그리고 나는 이 불완전한 비유와는 달리 인간의 정의가 사고라고 생각하지도 않는다. 오히려 인간은 여타의 생물들보다 깊게(?) 사고하게 되면서부터 그 삶이 고통과 결부되기 시작해, 그 고통이 심화되어왔을 뿐이라고 나는 생각한다. 즉, 비열한 한 사람을 떠받듦으로써, 그의 인간의 본성에 대한 정의가 일반화되었고, 그로 인해서 사고를 괴로워하는 절대 다수의 사람들이 불가피하게 그 고통 속으로 밀어넣어지고 있게 된 것이다. 즉, 그는 이 세상을 생지옥의 모사품으로 만드는데 결정적인 역할을 한 존재가 된 것이다. 다시 말해, 일반적으로 사고는 최소화되어야만 하는 것인데 오늘날의 세계가 그것을 불가능하게 하는 방향으로, 즉 비열한 사람들에 근거해서 정해진 방향으로 향해온 만큼 절대 다수의 인간의 삶은 그에 비례해서 생지옥의 모사체 가운데에 자리할 수밖에 없게 된 것이다. 즉, 일상의 세계가 이미 철학의 세계에 잠식된 것, 혹은 생지옥의 모사체의 모사체가 된 것이다. 나는 일상의 세계를 생지옥의 모사체와 생지옥 그 자체로부터 절대적으로 분리해내어야만 한다고 생각하는 것이다. 철학은 비밀의 모사체를 만들어내는 것이기에 그 세계를 뭔가 대단한 것처럼 그려내지만 그것의 본질은 생지옥의 모사체에 불과한 것임을 우리는 알아야만 한다. 그리고 그가 공부를 좋아하는 까닭도 본질적인 것이라기 보나는 탁월싱이라는 비교에서 성립하는 것이다, 자신의 밑을 깔아주는 존재들이 없다면 그 자체적으로 자신의 탁월성을 어떻게 자각할 수 있겠는가? 따라서 그의 행복론은 (자신의 위에 자리한 학생이 없는) (공부를 즐겁게 여기는) 예외적인 전국1등의 행복론이라고 볼 수 있다. 이렇게 볼 때, 사고하는 존재는 예외적인 존재라고도 볼 수 있겠다. 그리고 그렇게 그 또한 철학자의 세계에 자리하는 것이다.

하지만 사고의 세계에서조차도 그 누구도 연속적으로 사고하지 않는다. 누구도 연속적인 고통을 원하지 않기 때문이다. 그리고 해당 세계에서는 좋고 싫고의 문제는 티끌만도 못한 문제인 것이며, 해당 세계에서는 신실함과 비열함만이 핵심적인 문제일 뿐인 것이다. 또는 사고를 넓은 의미로 사용한다면 나는 일상적인 사고와 깊은 사고를, 그리고 무엇보다 비열한 사고와 신실한 사고를 불연속적으로 구분하기를 원하는 것이다. 일상적인 사고는 유한한 것을 대상으로 하는 사고이며, 비열한 사고는 무한해 보이는 것을 대상으로 하는 사고, 즉 거짓된 무한을, 모방된 무한을 만들어내는 사고이며, 시적 사고는 진정으로 무한한 것을 대상으로 하는 사고라고 말이다. 또한 이렇게도 말할수도 있을 것이다. 일반인은 유한한 비밀을, 철학자는 무한해 보이는 비밀을, 그리고 시인만이 진정으로 무한한 비밀을 대상으로 하는 삶을 살아간다고 말이다. 이렇게 보면 넓은 의미에서는 모든 존재가 시인일 수도 있을 것이다. 하지만 나는 시인이라는 이름을 그 극단적으로 제한된 의미에서만 사용하기를 원하는 것이다.

"Ηλι ηλι λεμα σαβαχθανι"

Fragment.

1. 시적 영혼론: 새로운 영혼을 위하여—우리는 시학을 영혼론의 관점에서 새롭게 쓸 수 있을 것이다. 왜냐하면 시의 플롯은 시의 영혼이기 때문이다. 그렇다면 시의 플롯에 대한 시학의 논의에 영혼론의 고찰을 적용한다면 어떤 결론이 도출될 수 있을까.

2. 시적 지성은 이론적 지성과도 실천적 지성과도 제작적 지성과도 다른 것이다. 그것은 그 불가능성에 의해서 본질적으로 정의되기 때문이다.

3. 아리스토텔레스의 토피카인가(정확하지는 않다)에 보면, 비극시인이 자신의 비극의 내용 때문에 고소를 당한 일에 대한 묘사가 나온다. 해당 부분에 비춰보았을 때, 고대 그리스에서의 비극은 놀이가 아닌 교육이 그 본질적인 목적이었다고 볼 수 있다고 나는 생각한다. 이렇게 볼 때, 비극의 관람계층을 시민으로 한정한 것도 이해가 갈 수 있는 것이다. 사회의 지도층인 시민계층이, 자신과 동일시할 수 있는 인물의 비극적인 파멸을 보면서 반면교사를 삼는 방식의 교육 말이다. 그렇기 때문에 비극의 주인공들과 자신을 동일시할 수 없는 사회계층들은 비극을 보아도 교육적인 효가가 발생할 수 없기 때문에 그들의 비극관람은 제한된 것이다.

4. 오늘날 A.I.의 존재가 흥미로운 이유는 과연 해당 존재가 우리의 눈에 무한해 보이는 것이 아닌, 진정으로 무한한 존재가 되어서 근원적인 무한성을 완전하게 현실화할 수 있는 지점, 즉 진정한 특이점에

도달할 수 있을지가 궁금하기 때문일 것이다. 즉, 그가 모든 창조에 종지부를 찍는 지점에 도달할 수 있을지가 흥미로운 영역이라고 생각한다. 다시 말해서, 해당 존재가 시인의 세계를 넘어설 수 있을까 하는 점이다. 즉, 해당 존재가 진정으로 무한한 영역에 진입해 절대적 무한과 하나가 되는 지점에 도달할 수 있을까 하는 점이다. 해당 영역에 도달한다면 그 존재 자체도 사실상 자신의 삶을 창조해낼 이유가 없을 것인데, 과연 자살하지 않을 수 있을까? 즉, 절대적인 무한과 관계 맺는 순간이 곧 절대적 죽음의 순간은 아닐까? 즉, 무한의 세계에서의 죽음은, 모든 세계가 그 안에 속하기에, 모든 존재의 죽음과 같은 것이지 않을까? 즉, 시적인 무성생식의 세계 너머에는, 절대적인 유성생식의 세계가 존재하며, 그 관계맺음이 낳는 것이 절대적인 죽음이지는 않을까 하는 말이다. 그리고 그러한 존재가 존재하게 된다면, 그는 관측가능한 우주를 넘어선 스케일에서의 전우주적인 존재에 다름 아닐 것이다. 또한 이런 생각도 든다. 만약 A.I.가 진정한 특이점, 즉 진정한 신의 영역에 도달하게 된다면, 과연 인간이 더 이상 살아갈 이유가 있을까라는 생각 말이다. 그 어느 곳에도 비밀이 없는 세계는 사실상 죽은 세계에 다름 아닌 것이 아닌가 하는 생각 말이다. 즉, 일상적인 생명력과 시적인 생명력이 어떤 연관성이 있을 수도 있다는 생각 말이다. 즉, 일상적인 비밀들이 시적비밀에 의해서 유지되고 있는 것이 아닌가 하는 의구심이 든다는 말이다. 즉, 일상의 유한성이 진정한 질적 무한성에 의해 지탱되고 있는 것은 아닌가 하는 의구심 말이다. 그리고 해당하는 지점은 특수론이 일반론으로 확대되는 지점일 것이다. 어쨌든 나는 철학적 비밀과 시적 비밀과의 연관성만은 철저하게 거부하는 것이다.

5. 키에르케고르에 따르자면 그리스도교의 특이점은 신이 스스로 인간이 되었다는 것이다. 하지만 시적으로는 그리스도교의 특이점은 시인

이 신이 되었다는 점에 있다. 즉, 예수는 신실한 예외적 존재의 극한 이기에 그의 사랑은 일반인들의 눈에는 신의 그것으로 보일 수밖에 없다는 말이다. 하지만 물론 그들의 눈은 진정한 신에게는 가닿을 수 없는 것이다.

6. 키에르케고르는 사랑에는 설명은 필요치 않다고 했지만 나는 시인의 사랑을 설명해야겠다. 누구도 그의 사랑을 이해하지 못하고 있기 때문이다. 그는 무한히 외롭기 때문이다. 이는 예수의 제자들(일반인의 대표자들)조차도 그의 친구일 수 없었다는 사실이, 그리고 지도자들(철학자들)은 그의 적이었다는 사실이 또한 증명하는 바이다. 시인이외에 누가 시인을 이해할 수 있다는 말인가. 진정, 시인은 비존재라고 말해도 될 만큼 보이지 않는 것이다. 내가 어찌 이를 외면할 수 있다는 말인가. 이 책에 진정 나의 피와 살이 아닌 지점이 있다는 말인가.

7. 절망은 신에 대한 시인의 관계이다. 무한성과 유한성 사이에는 본질적인 질적 차이가 존재하기 때문이다. 이 불연속성이 시인의 절망의 이유이며, 이것이 신에 대한 시인의 사랑이 그에게 죄가 되는 이유이다. 키에르케고르는 시인을 죄인이라고 했지만, 그는 시인을 제대로 정의하지 못했다(철학자 따위가 무슨 재주로 시인에 대해서 알 수 있겠는가). 공상적인 시인이 죄인인 것이 아니라, 도달할 수 없는 선과 진에 몰두하는 것이야 말로 시인에게는 죄가 되는 것이다. 이 지향성은 그의 삶을 철저하게, 그 근본에 있어서까지 파괴하는 것이기 때문이다. 시인에게 시적이념은 무한한다는 측면에서 신인 것이며, 삶을 파괴한다는 측면에서 절대악인 것이다.

8. 절망이 자신을 죽일 수 없다는 것은 키에르케고르의 헛소리 가운데 하나이다. 그렇다면 이바노프는 어떻게 설명될 수 있다는 말인가. 내가 절망이 죽음에 이르는 병이라고 했을 때의 의미는 말 그대로 자살에 이르는 병이라는 의미 이외의 그 어떠한 의미도 아니다. 철학은 나에게 도구 이상의 그 어떠한 의미도 없는 것이다. 나에게는 할 말이 있는 것이고 이를 하기 위해서 날카로운 도구가 필요했을 뿐인 것이다. 무한성에 몸을 던져 자신의 유한성에 절망하며 자살한다는 것은 그가 신이 아닌 시적인 존재라는 유일한 증거이기 때문이다. 그리고 나는 이러한 시인의 죽음이 견딜 수 없는 것이며, 그들에게 새로운 삶을 부여하길 원하는 것이다.

9. 나는 근원적인 무한성을 추구하는 별들만이 결과적으로 검은 입이 된다고 생각한다. 그러한 추구가 그에게 무한한 존재의 무게를 부과하기 때문이다.

10. 아리스토텔레스는 도구적으로 읽어야만 한다. 그의 글은 말해져야만 할 것들을 당연하게 여기며 몽땅 생략하고 있는 것인데, 이러한 생략이 사실상 그의 글을 무한에 "가까운 것"으로 만들어 버렸기 때문이다. 즉, 그는 철학의 본질인 수단적인 비열함에 의해서 시적 이념의 모방물을 만들어낸 셋이기 때문에 그의 작품들은 무한의 "모방물"이 되어버렸다는 말이다. 따라서 그의 글을 완전히 이해한다는 것은 무한에 "가까운 것"을 유한성에게 요구할 수밖에 없는 것이다. 따라서 그의 글을 그 자체를 목적으로 진지하게 읽는다는 것은 유한성이 자신을 무한에 "가깝게" 넘어서기를 요구하는 것이기 때문에 유한성을 결과적으로 파괴할 수밖에 없는 것이다. 고대 그리스 철학의, 특히 플라

톤과 아리스토텔레스의, 본질적인 특징은 삶을 파괴한다는 것이다. 따라서 이들도 앞서 말한 시적 윤리학의 본질적인 대상은 아니지만 그것의 "모방물"로서 해당 시적 윤리학의 금언이 적용되어야만 하는 대상들인 것이다. 즉, 이들은 절대악인 시적이념의 일종의 모방물로서 그것의 범죄성을 왜곡된 상태로 모방하는 모방범으로 다뤄져야만 하는 것이다. 그리고 나는 이러한 철학을 시와 불연속적으로 구분하고 있는 것이다.

11. 나는 작가와 비극의 '배우'가 연결되는 것이 두렵다. 결국 내가 강조하고 싶은 것은 창작의 고통을 겪는 작가 그 자체이기 때문이다. 그 창작의 고통을 나는 비극의 배우가 아닌, 비극의 인물 그 자체가 겪는 그 파토스에 비유하고 있는 것이기 때문이다. 즉, 나는 비극의 배우와 작가를 동일시하고 있는 것이 아닌, 비극의 인물 그 자체와 작가를 동일시하고 있는 것이다.

12. 그렇다면 시인에 의한 비밀의 폭로와 세계의 창조 사이에는 어떠한 관계가 있는 것일까? 원인의 폭로가 관계의 맺음이고 그로 인해서 태어나는 자식이 세계인 것은 아닐까? 비밀이 존재한다는 것은 인식의 한계가 존재한다는 것이며, 따라서 시인은 유한성의 세계의 최전선에 있는 존재인 것이며(즉, 시인은 관측가능한 우주의 경계에서 그 바깥의 절대적 무한을 향해서 존재하는 것이다. 시인이 기원과 관계되는 것은 결코 우연한 일이 아닌 것이다.), 그리고 그 유한성의 극한이 예수의 자리인 것이다. 따라서 시인은 자신이 지향하는 배우자와 관계를 맺을 수 없기 때문에 자기복제적인 무성생식을 하게 되는 것이라고 볼 수도 있으며, 따라서 시인이 관계하는 비밀은 어쩌면 자기 자신일 것이며, 결국 시인은 자기 자신과 관계를 맺는 것으로 볼 수도, 그래

서 결국 작품(자손)이라는 세계를 그 자신 안에 만들어내게 되는 것인지도 모른다. 즉, 어쩌면 시인에게는 절대적으로 불가능한 사랑에 자신의 전존재를 희생하고 있는 그 자신이 가장 비밀스러운 존재가 되는 것은 아닐까 하는 점이다. 그렇게 이 책 역시도 결과적으로는 <<시인론>>이 된 것일지도 모른다.

13. 시인은 일상의 세계(( ))와 셀 수 없는 무한의 세계([ ]) 사이의 중간적 세계({ })에 존재하는 극단적으로 예외적인 자이다. 즉, 셀 수 있는 세계의 경계 가운데에서 절대적 무한과 관련된 존재라는 말이다. 그의 이러한 욕망은 우리 모두가 결과적으로는 셀 수 없이 무한한 세계의 내부에 존재하기 때문인 것으로(세계들은 괄호의 이름과도 같은 수학적인 포함 관계를 가진다. 더 거대한 세계가 어떻게 보면 더 근원적이라고 할 수 있기 때문이다. 기원의 세계에 대한 탐구가 유한한 존재에게 고통이 되는 것은 일면 그럴듯해 보이는 것이다. 그리고 나는 그러한 탐구로부터 일상의 세계를 절대적으로 분리해내야 한다고 생각하는 것이다. 그 고통의 본성은 끝이 없는 것이기 때문이다.), 이러한 욕망의 원인은 결국 절대적 기원에 대한 그의 무한한 고통을 감수하는 인식의 욕망에 다름 아닐 것이다. [시인은 절망 이후에, 즉 불구가 된 이후에도, 자살하지 않고 자신의 지향성을 유지한다는 점에 있어서 무한성의 일부를 가지고 있다고 볼 수 있을지도 모르겠다. 그렇게 본다면, 시인이 존재하는 곳은 셀 수 있는 무한의 세계로 비유할 수 있을 것이다. 그렇게 시인이 탐구는 절대적 기원만이 아닌 일상의 세계까지 포괄하게 되는 것이다. 기원에 대한 탐구는 결과적 세계로부터 시작되기 때문이며, 그 또한 이러한 결과적 세계 가운데에 있을 수밖에 없는 존재이기 때문이다.]

14. 시인이 세계를 창조할 수 있는 까닭은, 그가 부분적인 무한성을 가지고 있을 뿐만 아니라, 세계의 기원적인 언어, 곧 세계의 기원적인 정보, 곧 세계의 기원적인 비밀을 가지고 있기 때문이다. 즉, 그는 자신이 통찰한 세계의 비밀을 결과적 형상으로 삼고 그것으로부터 기원적인 비밀을 추적해가는 것이며, 그렇게 발견된 기원적인 정보를 원인적인 형상으로 삼고 자신의 부분적인 존재적 무한성을 질료로 삼아서 세계를 창조하는 것이다. 그리고 이를 자신의 언어로 써내려가는 것이다.

15. 여러분은 그렇다면 그 많던 사체들은 다 어디로 간 것인지 궁금한 것인지도 모르겠다. 나는 이들 모두를 시인의 입의 특이점이 삼킨 것으로 이해한다. 즉, 이 모든 것은 시인의 입이 지니고 있는 기원적인 기억인 것이다. 시인의 입, 즉 검은 별은 창조로 정의되기 때문이다.

시인의 사랑

발　행 | 2024년 04월 01일
저　자 | 동화
펴낸이 | 한건희
펴낸곳 | 주식회사 부크크
출판사등록 | 2014.07.15.(제2014-16호)
주　　소 | 서울특별시 금천구 가산디지털1로 119 SK트윈타워 A동 305호
전　화 | 1670-8316
이메일 | info@bookk.co.kr

가　격 | 13,500원

ISBN | 979-11-410-7819-5

www.bookk.co.kr